논·술·세·계·대·표·문·학

24

로미오와 줄리엣

윌리엄 셰익스피어 | 김종석 엮음

한여름밤의 꿈 · 베니스의 상인

H훈민출판사

당시 인쇄되어 나온
셰익스피어의 책

〈베니스의 상인〉의 무대인 이탈
리아 베네치아의 전경

The Best World Literature

그림으로 나타낸 〈로미오와 줄리엣〉

〈베니스의 상인〉의 배경이 된 베네치
아의 운하

셰익스피어의 탄생을 기념하는 축제 – 매년 4월 23일 가까운 토요일에 벌어진다.

〈베니스의 상인〉 연극의 한 장면

로열 셰익스피어 극장의 전경

올리비아 핫세 주연으로 만들어진 영화 〈로미오와 줄리엣〉

이탈리아의 피렌체 성십자가 성당

〈로미오와 줄리엣〉의 배경인
줄리엣의 테라스

The Best World Literature

〈한여름 밤의 꿈〉을 그림으로 나타낸 것

〈로미오와 줄리엣〉의 무대인 이탈리아 베로나 거리

구인환(丘仁煥)

서울대학교 사범대학 졸업. 동 대학원 졸업(문학박사)
서울대학교 명예교수, 소설가(현). 서울대학교 사범대학 국어교육연구소 소장(현)
문학과문학교육연구소 소장(현). 국제펜 한국본부 부회장(현)
한국소설문학상(1987). 예술문화대상(1994). 한국문학상(2000)
작품 〈숨쉬는 영정〉, 〈살아 있는 날들〉, 〈일어서는 산〉 외 다수

- **저서** 《한국단편소설의 이해》, 《한국현대소설의 비평적 성찰》,
  《고교생이 알아야 할 소설》, 《고교생이 알아야 할 세계단편소설》 외 다수

윤병로(尹柄魯)

성균관대학교 국어국문학과 졸업. 동 대학원 졸업(문학박사)
성균관대학교 교수, 문학평론가(현). 한국현대소설학회장(현)
한국문예학술저작권협회 이사(현). 한국간행물윤리위원회 위원(현)
한국펜 문학상(1987). 한국문학상(1988). 대한민국문학상(1989)
수필집 《나의 작은 애인들》 외 다수

- **저서** 《현대 작가론》, 《한국 현대 소설의 탐구》,
  《한국 근대 작가 작품 연구》, 《한국 현대 작가의 문제작 평설》 외 다수

홍성암(洪性岩)

고려대학교 국어국문학과 졸업. 한양대학교 대학원 국어국문학과 졸업(문학박사)
동덕여자대학교 교수, 소설가(현). 한국문인협회 회원(현)
한국소설가협회 이사(현). 국제펜 한국본부 소설분과 이사(현). 한민족 문화학회 회장(현)
창작집 《큰 물로 가는 큰 고기》, 《어떤 귀향》 외
대하역사소설 《남한산성》 (전9권) 외 다수

- **저서** 《문학의 이해》, 《현대 작가론》, 《한국 근대 역사소설 연구》 외 다수

기
획
·
감
수

베로나 줄리엣의 집

논술 *세계대표문학*을 펴내며

   21세기의 사회는 **'전자 문명 시대'**라 일컬어질 만큼 오늘날 전자 산업은 우리 생활의 거의 모든 분야에 다양하게 응용되고 있습니다. 출판 분야 또한 예외는 아니어서, 종래의 서책(Book) 대신에 이른바 '전자책(CD-ROM)'의 출간이 최근 들어 날로 증가하고 있습니다.

   그러나 이러한 전자책은 영상 또는 모니터상으로 흥미 위주나 백과사전식 지식을 습득하는 데는 효과적일지 모르지만, 문학 공부를 위해서는 별로 도움이 되지 않습니다. 바꾸어 말하면, 문학 공부는 각 지면마다 살아 숨쉬는 표현 하나하나를 독자 자신의 머리로 음미하면서 작품을 읽어 나가는 가운데, 풍부한 상상력의 배양과 함께 작가의 의도와 그 작품의 내면을 깊이 있게 이해함으로써 이루어지는 것입니다.

   이에 훈민출판사에서는, 자라나는 학생들이 범람하는 영상 매체에 길들여지기 전에, 어려서부터 유명한 세계문학 작품들을 책자를 통하여 감명 깊게 읽고 감상함으로써, 올바른 문학 공부의 기틀을 다지고, 아울러 전인 교육도 할 수 있도록 《논술 세계대표문학(전60권)》을 펴내게 되었습니다.

   작품 선정은, 초·중·고등학교 국어 교과서와 역사 교과서에 실리거나 소개된 문학 작품을 중심으로 하되, 그리스 신화와 성경 이야기 등의 고전에서부터 중세·근대·현대에 이르기까지 세르반테스·셰익스피어·톨스토이 등 세계 유명 작가들의 장·단편 소설들을 엄선·수록하였습니다. 또 세계의 명시도 별권으로 엮었으며, 특히 각 단락마다 **'논술 문제'**를 제시하여, 장차 대학입시를 비롯한 각종 '논술 고사'에 예비 지식을 쌓을 수 있도록 배려하였습니다. 아무쪼록, 이 《논술 세계대표문학(전60권)》이 자라나는 학생들에게 문학 공부의 주춧돌이 되고, 나아가 미래를 살아가는 데 **정신적 자양분**이 되기를 진심으로 바라 마지않습니다.

훈민출판사

차례

로미오와 줄리엣

한여름 밤의 꿈 / 베니스의 상인

셰익스피어

지은이

1564~1616년. 영국의 스트랫퍼드어폰에이번에서 출생. 어린 시절은 비교적 부유하게 보낸 덕분으로 잠깐 동안 학교를 다녔는데, 그 때 독서를 많이 하게 되었다. 하지만 13세쯤 되었을 때부터 집안 형편이 기울기 시작하여 대학에는 진학할 수가 없었다.

1592년부터 배우 겸 극작가로 활동하기 시작하였으며, 수많은 희곡과 시를 집필하였다. 주요 작품으로는 〈로미오와 줄리엣〉, 〈말괄량이 길들이기〉, 〈베니스의 상인〉, 〈햄릿〉, 〈오셀로〉, 〈맥베스〉 등 희곡 37편과 장편 서사시 2편, 그리고 소네트를 154편 남겼다. 부유한 말년을 보냈던 셰익스피어는 4월 23일에 세상을 떠났다.

로미오와 줄리엣

제1장

두 집안의 싸움

아드리아 해의 푸른 물결이 넘실대는 베로나에는, 명문으로 손꼽히는 두 귀족 가문이 있었다. 두 귀족 가문은 몬테규 가와 캐퓰릿 가로, 언제 부터인지 불화가 계속되고 있었다.

두 집안 사람들은 길거리에서 마주치기라도 하면 서로 시비를 거느라 바빴고, 심지어 먼 친척이나 하인들까지도 툭하면 싸움을 하는 통에 베로나 거리는 하루도 평화로울 틈이 없을 정도였다. 그러는 동안 두 집안 사이에는 지울 수 없는 깊은 원한이 쌓여갔다.

어느 날 아침, 캐퓰릿 가의 하인인 그레고리와 샘슨이 베로나 광장에 서 어슬렁거리며 걸어다니고 있었다. 힘깨나 쓰는 장정같이 보이는 그들 역시, 주인 못지않게 몬테규 집안을 미워했다. 샘슨은 무슨 일인지 화가 잔뜩 나서 퉁퉁거리고 있었다.

"정말 못 참겠어. 역겨울 지경이야."

그 소리에 그레고리가 샘슨을 힐끗 보며 놀라서 말했다.

"샘슨, 하인 노릇하기가 그리 쉬운 줄 알았나? 하지만, 이 일은 집어 치워 봐야, 기껏 항구에서 석탄이나 나르느라 땀 흘리고 있을 거 아닌가?"

샘슨은 무슨 이야기냐는 듯이 그레고리를 쳐다보며 짜증스럽게 말했다.

"이봐, 그레고리. 내가 언제 하인 노릇하기 싫다고 했나? 몬테규 가라면 개만 봐도 홧김에 칼이라도 뽑을 지경이란 말이야."

그레고리는 씩씩거리고 있는 샘슨을 바라보며, 재미있다는 듯이 약을 올렸다.

"자네가 칼을 뽑는다고? 이 성벽의 돌들이 자다가 웃겠네. 칼 뽑을 생각일랑 아예 하지 말고, 자네 목이나 잘 간수할 생각이나 하는 게 낫지. 암, 그렇고 말고."

"이봐, 아직 날 잘 모르는군. 나한테 제대로 걸리는 놈은 뼈도 못 추린다구."

그레고리는 열을 내는 샘슨을 보며 더욱 그의 화를 부채질했다.

"내 생각엔 말일세. 자네가 몬테규 가 사람들을 보게 된다면, 화는커녕 숨기에도 바쁠 것 같아 보이는걸?"

"뭐야? 자네 말 다했나? 자네 같으면 그 집 사람들을 보고도, 화를 내지 않고 배길 수 있단 말인가? 그 빌어먹을 몬테규 가문 녀석들을 보고도 속이 뒤집어지지 않는단 말인가?"

샘슨이 분통을 터뜨리자, 그레고리는 이해한다는 듯 고개를 끄덕였다. 그들은 얘기를 하다 보니, 몬테규 집안 사람들이 더욱 미워졌다.

그 때, 그레고리는 멀리서 몬테규 가의 하인들이 오는 것을 보고, 다시 샘슨을 부추기기 시작했다.

"난 자네가 몬테규 놈들을 보면, 삼십육계 도망갈 것처럼 보여서 말이야. 자네 큰소리만 치는 거 아닌가?"

"뭐라고? 어디 두고 보라고! 몬테규 놈들이 나타나기만 하면, 내가 모

조리 시궁창에 처박을 테니."

"자네가 그런 실력이 있었단 말이지?"

"아니, 자네 지금 내 실력을 무시하는 건가?"

"아니, 아닐세. 그렇지 않아도 저기 몬테규 하인 두 놈이 이리로 오고 있으니, 어디 자네 실력을 한번 봐야겠군."

"그래? 잘 봐 두게나. 내 실력이 어떤지."

그러나 몬테규의 하인 아브라함과 발사살이 다가오는 것을 보자, 샘슨은 은근슬쩍 그레고리의 뒤쪽으로 자리를 옮겼다.

"그레고리, 어서 칼을 뽑고 맞붙어 보게나. 자네 뒤는 내가 확실히 지켜줄 테니, 걱정 말고. 자, 나만 믿게."

"아니, 큰소리칠 때는 언제고, 지금 와서 꽁무니를 빼는 건가? 설마 도망칠 생각은 아니겠지?"

"내 걱정일랑 붙들어 매 두게나."

"내가 자네 걱정을 할 것 같은가? 천만의 말씀이네."

"그레고리, 일단 나중에라도 말썽이 없게 먼저 덤비지는 말고, 저놈들이 먼저 시비를 걸게 만들자고."

"좋아. 놈들이 오면 내가 험악한 표정을 지으면서 놈들의 심기를 건드리지. 아마, 그놈들 당장 화가 나서 덤벼들 거야."

"나는 가운데 손가락을 들어 보이지. 그건 아마 못 참을걸? 놈들이 화를 내면 능청을 떨면 되는 거거든."

몬테규 하인들이 다가오자 그레고리는 험악한 인상을 지었고, 샘슨은 가운데 손가락을 들어 올리고는 침을 뱉었다. 몬테규 하인들은 가던 길을 멈추고 우뚝 섰다. 캐퓰릿 하인들의 행동이 자기들을 모욕하는 것임에 틀림없다고 생각했기 때문이었다.

아브라함이 화가 난 채 두 사람을 번갈아 보자, 그레고리와 샘슨은 자기들이 친 함정에 아브라함이 걸려들었다고 생각하고, 슬금슬금 살펴 보고 있었다.

"자네들, 지금 우리한테 그런 건가?"

아브라함의 날카롭고 거친 말이 두 사람을 향해 날아가자, 샘슨은 싱글거리며 아브라함을 바라보았다.

"지금 무슨 소리를 하는 거야? 난 가운데 손가락에 가시가 박힌 것 같아서 보고 있었을 뿐이야. 그렇지 않아도 가시 때문에 화가 나 죽 겠는데, 내가 자네한테 내 행동 하나하나를 설명해 줘야 하나?"

"지금 우리한테 시비를 걸고 있다는 걸 내가 모를 줄 아는가? 어쭙잖 은 변명은 집어치워!"

"뭐? 너희한테 싸움을 걸었다고? 너희랑 싸울 바엔, 차라리 지나가는 강아지랑 싸우겠다."

거친 말이 몇 차례 오가면서 금방이라도 칼부림이 날 것 같은 분위기 가 되었다. 아브라함은 덤빌 테면 덤벼보라는 듯이 칼집을 만지작거리 고 있었다.

"기어이 피를 보고 싶단 말이지. 그렇게 죽고 싶다면, 내가 그 소원 하나 못 들어주겠나. 내 칼에 더러운 피를 묻히긴 하겠지만, 내 주인 의 명예를 걸고 한번 해 보자고."

샘슨도 지지 않겠다는 듯 칼집을 손끝으로 툭툭 치면서 대꾸하자, 아 브라함은 거만한 표정으로 샘슨을 바라보며 비웃었다. 그러나 샘슨은 지지 않겠다는 듯 다시 말했다.

"그렇게 나온다면 상대해 주지. 나도 니들 만큼 훌륭한 주인을 모시 고 있으니 말이야."

"글쎄, 우리 주인보다는 못할 걸?"

샘슨은 광장 저쪽에서 티볼트가 오고 있는 것을 힐끔 보고는 다시 의

기양양해졌다. 티볼트는 베로나에서도 그 칼솜씨를 따라올 사람이 없을 정도로 이름 있는 무사였다. 샘슨은 목에 힘을 주며 아브라함에게 돌아서서 말했다.

"이봐, 우리 주인 어른이야말로, 자네 주인은 발꿈치도 못 따라올 정도로 훌륭한 분이시라구."

그러나 아브라함도 물러서려고 하지 않았다. 그도 몬테규의 조카인 벤볼리오가 자기들 쪽으로 오고 있는 것을 보았던 것이다. 캐퓰릿의 조카인 미남 청년 티볼트와, 역시 용모가 수려한 몬테규의 조카 벤볼리오가 점차 다가오고 있었다. 아브라함은 벤볼리오를 바라보다가, 샘슨과 그레고리에게 몸을 돌리며 의기양양해서 소리를 쳤다.

"그 더러운 혓바닥으로 잘도 뻔뻔스러운 소리를 했겠다?"

"더러운 혓바닥? 그런 소리를 내뱉고도, 네가 살아남을 수 있을 것 같으냐? 자, 사내라면 칼을 뽑아라!"

"좋다! 아까부터 내 칼은 네 피를 기다리고 있었다."

긴 칼이 햇빛을 받아 빛을 발하면서 허공에서 마주쳤다. 이 때, 때아닌 싸움에 놀란 벤볼리오가 싸움판에 뛰어들었다.

"멈추게! 이게 무슨 짓들인가?"

그러나 네 사람은 못 들은 척 칼을 내리지 않았다.

"어서 칼을 거두지 못하겠느냐?"

벤볼리오는 이 쓸데없는 싸움을 말리려고 자신의 칼을 뽑았다. 그는 네 사람의 칼을 멋진 솜씨로 이리저리 튕겨 내고 있었다. 힘으로라도 그들의 칼을 땅에 떨어뜨려 싸움을 멈추게 할 생각이었다. 그러나 티볼트의 눈에는 그렇게 보이지 않았다. 오히려 싸움 붙일 꼬투리가 생긴 게 다행이라고 생각할 정도였다.

"벤볼리오, 기사면 기사답게 행동해라. 비겁하게 하인놈들을 상대로 칼을 빼다니. 그렇게 싸움을 하고 싶다면, 이 티볼트가 캐퓰릿 가의 이름을 걸고 상대해 주지. 자, 덤벼라!"

"티볼트. 자네야말로 이 상황을 그렇게 곡해하는 걸 보니, 무척이나 싸움이 하고 싶은 게로군. 난 싸움할 생각은 없네. 이 못난 놈들의 싸움을 말릴 생각일 뿐이야. 자네도 어서 이놈들을 좀 말려보게나."

"흥, 핑계를 대려면 좀 그럴듯하게 대게나. 칼을 마구 휘두르면서 싸움을 말린다니 누가 그 소릴 믿겠나. 하긴, 자네 집안 놈들이 하는 짓이니 다 그렇고 그렇겠지. 그 돼먹지 않은 변명 따위는 집어치우고 내 칼이나 받게!"

티볼트는 그대로 싸움판으로 뛰어들어 벤볼리오의 칼을 받아쳤다. 증오에 불타는 두 청년의 눈은 상대방을 꿰뚫을 듯이 쏘아보았다.

"티볼트, 자네가 정 싸우겠다면 상대해 주지. 나중에 후회해도 소용없을 걸세."

벤볼리오는 싸움을 말리려던 생각을 버리고, 베로나 제일의 무사인 티볼트와 맞섰다. 벤볼리오의 칼솜씨도 날카로웠지만, 베로나 제일의 무사인 티볼트의 칼날에는 도저히 당해 낼 수가 없었다. 벤볼리오는 온 힘을 다해 힘겹게 막아내고 있었지만, 티볼트는 상대방의 칼을 여유있게 받아치면서 계속 공격하고 있었다.

싸움이 본격화되자 광장에는 많은 사람들이 모여들었다. 드디어 벤볼리오가 뒤로 밀리면서 티볼트의 칼을 힘겹게 넘기고 있을 때, 광장 한 구석에서 떠들썩한 소리가 들려왔다. 영주 소속의 군관이 부하들을 이끌고 달려오는 소리였다. 수많은 시민들과 곤봉과 창을 든 군관들이 싸움에 끼어들자, 싸움판은 눈 깜짝할 사이에 난장판이 되고 말았다. 티볼트에게 목숨을 잃을 뻔했던 벤볼리오도, 영주의 군사들 덕분에 겨우 위기를 모면할 수 있었다.

그러나 시민들이 가세하면서 영주의 군사들마저, 곳곳에서 자기네들끼리 칼을 부딪쳤다. 이 때 광장의 다른 쪽에서 난장판이 된 싸움을 보며 캐퓰릿이 소리쳤다.

"부인, 어서 칼을 주오. 칼을 주시오!"

캐퓰릿 부인의 얼굴에 불안한 기색이 역력했다.

"여보, 칼을 왜 찾으세요. 저 못난 무리들을 상대로 칼을 잡으시겠다는 거예요? 제발 신중하게 생각하시고, 이 지팡이나 받으세요."

부인은 캐퓰릿에게 지팡이를 내주었다. 그러나 캐퓰릿은 지팡이를 거칠게 밀쳐 버리고 소리쳤다.

"어서 칼을 달라니까! 저기 몬테규 놈이 오고 있지 않소. 저놈이 시퍼런 칼을 휘두르면서 오는데, 나보고 지팡이로 맞서란 말이오?"

캐퓰릿이 부인과 실랑이를 벌이는 동안, 몬테규도 부인에게 팔을 붙들려 칼을 휘두르지 못하고 있었다.

"어서 놓으시오!"

몬테규는 화를 버럭 내며 부인의 손을 떨쳐 내려고 했지만, 부인은 완강하게 팔을 붙들고 놓지 않았다.

"안 돼요! 제발 참으세요. 제가 이 팔을 놓으면 또 캐퓰릿과 싸울 거잖아요."

"저놈의 속셈을 모르는 거요? 저놈이 우리 하인놈들과 자기네 하인놈들에게 싸움을 붙여 놓고는, 내가 나타나기를 기다리고 있었지 않소. 당장 저놈을 혼내 줘야 내 속이 후련할 것 같소."

몬테규는 화를 내며 말했지만, 부인은 꿈쩍도 하지 않았다. 두 사람 다 부인들에게 팔을 붙잡힌 채, 서로 노려만 보고 있을 뿐이었다. 그때, 이 소동을 들은 영주가 군사들의 호위를 받으며 나타났다. 영주가 나타났다는 소리가 들리자, 구경하던 사람들은 모두 한쪽으로 길을 비켜서서 영주에게 경의를 표했다.

영주는 못마땅한 시선으로 캐퓰릿과 몬테규를 바라보았다.

"그대들은 번번이 우리 베로나의 선량한 백성들과 나를 괴롭히는군. 지금까지 아량을 베풀어 왔지만, 싸워도 된다고 생각해서 그런 건 아니오. 다만 베로나의 두 명문가의 명예와, 그대들의 지위를 생각해서 참아왔던 것뿐이었소. 그런데 이게 벌써 몇 번째요? 이제 나도 더 이상은 두고 보지 않겠소. 앞으로 이 베로나 거리에서 피비린내 나는 칼싸움으로 소란이 일어날 때는, 그대들 모두를 엄하게 다스리겠소. 여기 모인 시민들 앞에서 약속하는 바요. 캐퓰릿! 당신은 지금 나와 함께 가고, 몬테규 그대는 오늘 오후 법정에 출두하시오. 모두들 알아 들었소? 죽고 싶지 않으면 다들 물러나시오!"

영주의 얼굴에는, 더 이상 이 문제를 두고 보지 않겠다는 결의가 서려 있었다. 캐퓰릿은 자신이 타고 온 마차를 끌고 영주의 행렬을 따랐다. 티볼트는 숙부를 염려해 그 뒤를 따랐고, 싸움을 시작했던 네 명의 하인은 영주가 나타나자 이미 어디론가 사라지고 없었다.

로미오의 방황

구경꾼들은 하나 둘 흩어졌고, 광장에는 몬테규 부부와 조카인 벤볼리오뿐이었다.

"도대체 어찌 된 일이냐? 왜들 싸우고 있었던 거야? 으르렁 대긴 해도 한참 동안 싸움은 안 일어나지 않았냐?"

몬테규가 벤볼리오에게 책망하듯 물었다.

"제가 도착했을 때는 캐퓰릿 집안 놈들과, 우리 집 하인들이 벌써 칼을 들고 있었습니다. 말리려는 생각에 뛰어들었는데, 그만 티볼트 녀석이 끼어드는 바람에⋯⋯."

"조심해라. 벤볼리오. 티볼트한테 잘못 덤벼들다간 큰일난다. 배짱으로 덤빌 놈이 아니야. 만만치 않은 놈이니까."

"네, 숙부님. 알겠습니다."

"그나저나 로미오는 어디 갔느냐? 오늘 새벽부터 안 보이던데. 그 녀석이 싸움에 끼지 않아서 정말 다행이긴 하군."

"숙부님, 로미오 형님은 제가 아침 일찍 만났습니다."

"그래, 어디서 봤느냐?"

"숲에서 봤습니다. 마음이 좀 어지러워서 산보를 하고 있었는데, 로미오 형님도 홀로 걷고 있더라구요. 가까이 가려고 했는데, 나를 봤는지 어느 새 숲 깊숙이 들어가 버려서 만나지는 못했습니다. 고민이 많은 것 같아 그냥 제가 자리를 피해드렸습니다."

"요즘 그 애가 부쩍 한숨도 자주 쉬고, 침울해 보인다. 방에 틀어박혀서 창문도 열지 않고 있을 때도 많더구나. 그런 상태는 결국엔 화근을 불러일으킬 수 있으니, 잘 충고해서 그 원인을 없애야 할 텐데 걱정이구나."

몬테규는 외아들인 로미오를 무척이나 걱정하고 있었다.

"숙부님, 형님이 왜 그렇게 방황하는지 아십니까?"

"글쎄다. 도통 말을 하지 않으니 어디 알 수가 있어야지. 그 슬픔의 원인을 알 수만 있다면, 아는 대로 당장에라도 고쳐 주련만."

"아, 저쪽에 형님이 오시네요. 숙부님은 잠깐 자리를 피해 주십시오. 제가 형님의 고민이 뭔지 한번 알아 보겠습니다."

"네가 저 아이의 마음을 알 수만 있다면 얼마나 좋겠느냐? 여보, 우린 갑시다."

몬테규와 부인이 마차에 올라타자 마차는 이내 달려갔고, 벤볼리오는 로미오가 있는 곳으로 발길을 돌렸다.

"형님, 밤새 안녕하셨어요?"

"아직 아침인가?"

"막 아홉 시가 지난 걸요."

"아! 슬픈 시간은 무료하기만 하구나! 그런데 지금 막 나간 분은 우리 아버지이시지?"

"예. 그런데 형님은 무슨 이유로 지루하신가요? 무슨 고민이라도 있으세요?"

벤볼리오는 사촌형의 수려한 용모와, 늠름한 자세를 부러운 듯이 보다가 슬쩍 물었다.

"얻어야 할 것을 못 얻어서 생긴 괴로움이지. 그걸 얻을 수만 있다면, 하루가 눈 깜짝할 사이에 지나갈 텐데."

우울해 하는 로미오를 바라보며 벤볼리오는 그 비밀을 대강 짐작했다.

"사랑 때문에 그러십니까? 누군가를 지독히도 사랑하는 모양이죠?"

"그래. 내 생명처럼 그녀를 사랑하지만, 그녀는 나를 거들떠보지도 않아."

"그 여인이 누구입니까? 형님처럼 아름다운 청년을 모른 체하다니, 정말 궁금하군요."

"대단한 미인이라네. 바라보고 있으면 정신이 몽롱해질 정도지."

"형님도 참 바보군요. 그렇게 좋아하면서 왜 이렇게 끙끙대고 있습니까? 당장 그녀의 가슴에 사랑의 화살을 쏘아 보세요."

"벤볼리오. 나도 화살을 쏘고 싶어. 다만, 그녀가 그 큐피트의 화살에 잘 맞아야 말이지. 기지와 순결이라는 튼튼한 갑옷으로 무장하고 있어서, 내 화살이 뚫고 들어갈 틈이 없다네. 사랑한다는 말로 포위해도 은근슬쩍 넘어가 버리고, 뜨거운 내 눈길을 퍼부어도 벗어나니, 게다가 재산을 내세워도 그녀는 눈 하나 깜짝하지 않는다네. 모든 수단과 방법을 다 해 보지만, 그녀에게는 아무 의미도 없었어. 하긴, 그녀도 안타깝지. 죽으면 그녀의 아름다움도 사라져 버릴 테지. 정말 애석한 일이야."

"혹시 그 여자, 평생을 수녀로 살기로 했대요? 그렇지 않고서야 제일의 미남인 형님의 사랑을 외면하겠습니까?"

"그렇다네. 예쁘고 어질고 착한 여자가 나를 이렇게 절망하게 만드니 어떻게 복을 받겠나. 그녀는 사랑을 않기로 맹세했다는데, 그 맹세로 난 산송장이 된 셈이지."

"그러면 아예 잊어버리세요."

"벤볼리오. 나도 잊으려고 노력했다네. 그런데 도저히 잊을 수가 없어. 잊을 수 있는 방법이 있다면 제발 내게 좀 가르쳐 주게."

벤볼리오는 비통에 잠긴 로미오를 바라보며 측은한 듯 말했다.

"형님, 그러지 말고 다른 여자들을 좀 보세요. 베로나에는 그녀보다 훨씬 아름다운 여자들이 많다고요."

로미오는 고개를 세차게 흔들며,

"부질없는 짓이야. 다른 여자들을 보면 볼수록 그녀 생각이 더 간절해져. 자네도 내 고민을 해결해 주진 못할 것 같으니 그만 집에 가겠네. 걱정 말게나. 그리고 잘 가게나."

하며 광장 저쪽으로 사라졌다.

패리스 백작의 청혼

그날 오후 영주는 캐퓰릿과 몬테규 두 사람에게, 집에서 근신하라는 벌을 내렸다. 캐퓰릿은 영주의 명령을 받고 집에 돌아와 조용히 틀어박혔지만, 생각할수록 괘씸한 마음에 견딜 수가 없었다.

겨우 마음을 가라앉히려고 애쓰고 있는데, 패리스 백작이 찾아왔다. 패리스 백작은 베로나, 베네치아, 만투아까지 널리 이름이 알려져 있는 영향력 있는 가문의 청년이었다. 그는 예의범절도 바를 뿐 아니라 백작이라는 지위도 있었고, 영주 에스켈러스의 친척이기도 했다.

"낮에 있었던 일로 심기가 불편하실 텐데, 이렇게 찾아와서 죄송합니다. 두 분 다 명성이 자자하신 분들인데, 오랜 세월 그렇게 미워하시니 안타깝네요."

"아닙니다. 그 문제라면 이제 두 집안이 반성할 때도 되었죠. 혈기왕성한 시절도 지났으니, 영주님 뜻대로 화해하는 것도 그리 어려운 일은 아닙니다."

한동안 이들은 세상 사는 얘기를 하다가, 마침내 패리스 백작이 급하게 찾아온 이유를 말하기 시작했다.

"그건 그렇고, 지난번에 말씀드린 제 청혼에 대해서 생각해 보셨는지요?"

패리스는 얼마 전 캐퓰릿의 무남독녀인 줄리엣에게, 정식으로 청혼을 했었다.

"글쎄, 지난번에 한 얘기를 되풀이할 수밖에 없겠군요. 줄리엣은 어려서 세상 물정도 모르고, 아직 채 열네 살도 되지 않았는데, 어떻게 결혼을 시키겠습니까? 두 해 정도는 지나서 얘기해야 하지 않을까 싶습니다."

미안하다는 듯이 말하는 캐퓰릿을 보며, 패리스는 전혀 문제가 되지 않는다는 듯 대꾸했다.

"베로나에는 따님보다 어린 나이에 어머니가 된 여인들도 얼마든지 있습니다. 무얼 걱정하십니까?"

"언젠가 출가를 해야 하니, 저도 오래 붙잡아 둘 생각은 없습니다. 백작님이 직접 줄리엣에게 청혼을 해서, 딸아이의 마음을 차지해 보십시오. 그 아이가 허락한다면 나도 기꺼이 승낙하겠습니다. 오늘 밤 우리 집에서 가면 무도회가 있으니 참석하셔서 만찬도 즐기시고, 줄리엣과 조용히 이야기를 나눌 기회도 만들어 보시는 게 어떨까 싶군요. 백작께서 참석해 주신다면, 한층 빛나는 무도회가 될 것 같습니다."

패리스 백작은 무도회 초청에 대해 감사를 전하며, 저녁에 꼭 참석하겠다는 말을 남기고 돌아갔다. 캐퓰릿은 문 밖까지 패리스 백작을 배웅하고, 부인에게 가서 패리스 백작의 방문 목적과 저녁에 그가 만찬에 참석한다는 사실을 전해 주었다.

"그러니 줄리엣이 당황하지 않도록 미리 귀띔이라도 해 주구려."

패리스 백작이라면 딸의 신랑감으로 전혀 손색이 없었으므로, 부인은 기뻐했다. 그 때 줄리엣이 어머니의 방으로 들어왔다. 갸름한 얼굴에 백옥 같은 살결, 검은 눈동자는 어머니를 그대로 닮았다. 젊은 시절 그녀의 어머니가 베로나 제일의 미녀였듯이, 줄리엣 역시 베로나 제일의 미녀가 되기에 손색이 없을 정도로 아름다웠다. 어머니는 사랑스런 딸의 표정을 살피다가 슬쩍 말을 꺼냈다.

"애야, 너 결혼에 대해 생각해 봤니?"

"결혼요? 글쎄요, 아직은 뭐 별로 생각해 본 적은 없어요."

"잘 생각해 보렴. 베로나엔 너보다 어린, 아이 엄마도 많이 있단다. 패리스 백작이 네게 청혼을 해 왔는데, 그 분 정도면 온 이탈리아를 다 뒤져도 신랑감으로 찾기 어려운 분이야. 오늘 밤, 만찬에 그 분이 참석할 테니 잘 살펴보거라."

"네, 그럴게요. 만나 보고 정이 가는 분이라면 좋아할 수 있도록 노력

할게요. 하지만 그분에게 사랑을 느낄 수 있을지는 모르겠어요."

가면무도회

"아! 사랑하는 로잘린!"

아무리 이름을 외쳐도 그녀의 환상만 아른거릴 뿐, 로미오의 마음은 더욱 안타까울 뿐이었다. 방에 틀어박혀 아무것도 하지 않던 로미오는 마음을 달래기 위해 밖으로 나왔다. 거리에 오가는 사람들 사이에 섞여 있으면 로잘린을 잊을 수 있을 것 같아서 거리로 나왔던 로미오는 벤볼리오와 마주쳤다.

"형님, 정말 사랑에 미쳐 버린 모양이군요."

"미친 게 아니라 꽁꽁 묶여 있네. 먹을 것도 주지 않는 감옥에 갇혀서, 채찍으로 맞으며 고문당하는 느낌이라네."

"제발 형님한테 다른 고민이 생겨서, 그 낡은 고민일랑 봄눈 녹듯 사라져 버렸음 좋겠어요."

마침 그 때, 캐퓰릿의 하인이 만찬회에 초대될 사람들의 명단이 적힌 쪽지를 들고, 두 사람 앞을 지나가고 있었다. 하인은 그들을 보고는 굽신거리며 인사를 했다.

"안녕하십니까, 나리들. 도움을 좀 부탁드리겠습니다."

"무슨 일이냐?"

"제가 까막눈이라서 도대체 이 명단에 누가 적혀 있는지 알 수가 없어서요. 그래서 말씀인데, 이것 좀 읽어 주십시오. 오늘 저녁 만찬에 초청할 분들 이름이거든요."

"그래, 한번 보지. 잘 듣게나. 마티노 씨 부부와 그 따님들, 비트루비오 미망인, 플라센티오와 그 아들들, 머큐쇼와 밸런타인 형제, 아니,

로잘린 이름도 있잖아?"

로미오는 종이를 벤볼리오 코 앞에 들이밀며, 로잘린의 이름을 몇 번이고 되뇌었다. 벤볼리오도 로미오가 무슨 생각을 하고 있는지 알아차렸다.

하인은 로미오의 마음이야 제 알 바가 아니라는 듯 재촉했다.

"나리, 뒷부분도 마저 읽어 주십시오."

"그래, 그런데 넌 어느 집 하인이냐?"

"베로나에서 제일 가는 캐퓰릿 댁이죠."

하인은 자랑스러운 듯 어깨를 으쓱거리며,

"나리께서 저 재수 없는 몬테규 집안 사람만 아니라면, 파티에 오셔도 좋습니다"

하고 말하고는 총총 걸음으로 사라졌다.

로미오는 하인의 무례함을 꾸짖을 생각도 잊고, 그저 멍하니 서서 로잘린이 그 만찬회에 간다는 생각에 빠져 있었다. 게다가 가면 무도회이기 때문에 얼굴을 가린 채, 그녀와 춤을 출 기회가 올지도 모를 일이었다. 벤볼리오는 잘 되었다는 듯 로미오의 어깨를 툭 치며 말했다.

"형님! 오늘 밤 우리도 그 무도회에 갑시다. 그러면 형님이 사랑하는 그 로잘린이란 아가씨와, 다른 분들을 비교해 볼 수 있을 거예요. 가면 무도회니까 가면을 쓰고 가면 들킬 염려도 없을 테고요."

"그래, 가자. 영주님 조카인 머큐쇼도 명단에 있으니 그와 같이 가면 될 거야. 하지만 로잘린을 다른 여자들과 비교한다는 건 생각조차 할 수 없는 일이야. 난 로잘린을 보러 가는 거라고."

그날 저녁, 둘은 머큐쇼와 만나서 캐퓰릿의 저택을 향해 걸음을 옮겼다. 로미오는 불청객으로 남의 집을 방문하는 것이 어쩐지 내키지 않았앉지만, 사랑하는 로잘린을 보기 위해서라는 생각으로 그 생각을 떨쳐 냈다.

"형님, 이 멋진 밤에 그렇게 멍청히 서 계실 거예요? 어서 아름다운 아가씨들과 춤추러 가세요. 로잘린보다 예쁜 아가씨들이 얼마나 많은 지 보시라구요."

두 사람이 주고받는 말을 듣고 있던 머큐쇼가 옆에서 거들었다.

"로미오, 사랑은 무엇이든 가능하게 하지. 그러니 큐피트의 날개라도 빌려서 하늘 높이 날아 보게나."

"머큐쇼, 난 큐피트의 화살에 너무 깊은 상처를 입어서, 한 치도 날 수가 없어. 게다가 사랑의 사슬에 꼼짝 못 하고 묶여 있어. 사랑이라 는 무거운 짐 아래 깔려서 가라앉고 있을 뿐이네."

머큐쇼는 절망에 찬 로미오의 말을 반대로 뒤집었다.

"자넨 사랑의 무거운 짐 밑에 깔려 있는 게 아니라, 어깨에 그 짐을 지고 있는 거야. 하지만 너무 연약한 사랑이라 힘겨운 짐으로 느껴지 는 게지."

"사랑이 연약하다구? 사랑은 거칠고 거센 데다가, 가시처럼 아프게 찔러 댄다네."

"로미오, 사랑이 거칠수록 자네도 강해지게나. 가시처럼 찌르거든 자 네도 맞서 찔러 주면 되잖나. 어, 벌써 다 왔군. 어서 가면을 쓰세."

벤볼리오는 원수의 집에 들어가서 몰래 만찬을 즐길 생각을 하니, 야 릇한 흥분을 느꼈다. 그러나 로미오는 문 앞에 이르자, 왠지 와서는 안 될 곳에 온 것 같은 마음이 들었다.

집 안에는 웃음소리와 왁자지껄한 말소리가, 창문을 통해 새어 나오 고 있었다. 모두들 흥겹게 먹고 마시며 춤추고 있었다. 머큐쇼는 평소와 는 달리 망설이고 있는 로미오를 보니 답답한 생각이 들었다.

"돌아갈 건가? 로미오. 여기까지 와서 그런 실없는 생각 말고 어서 들어가세. 내가 자네를 절망의 구렁텅이에서 건져 주지. 귀밑까지 푹 빠져 있는 그 사랑에서 말이야. 여기 아리따운 아가씨들이 얼마나 많이 있는지 보게 될 거야."

"로잘린이 보고 싶어 무도회에 온 것은 괜찮지만, 초대받지도 않은 남의 파티에 참석한다는 게 신사답지가 않아 영 마음에 걸리는군."

벤볼리오는 바깥에 서 있는 게 지겨워졌는지, 로미오를 재촉했다.

"형님! 자, 어서 들어갑시다. 용기를 내시고요."

세 사람은 가면을 쓰고 저택 안으로 들어갔다. 그 때 캐퓰릿이 줄리엣과 함께 만찬회 홀로 들어왔다. 아름답게 치장한 줄리엣이 홀 안에 들어서자, 사람들의 시선이 모두 줄리엣에게 쏠렸다.

악사들이 연주를 하자 젊은 남녀들은 기다렸다는 듯이, 홀 한복판으로 나와 빙글빙글 돌며 춤을 추기 시작했다. 로미오는 홀 한구석에 못 박힌 듯 우뚝 서 있었다. 그의 눈은 캐퓰릿이 인사할 때 옆에 다소곳이 서 있던 여인에게 멈췄다.

'세상에 저렇게 아름다운 여인이 존재하다니! 천사들이 날아다니는 하늘나라에도 저렇게 아름다운 여인은 없을 거야'

그는 벤볼리오의 말처럼, 이제야 새로운 아름다움에 눈을 뜨게 된 것이었다. 그 알 수 없는 여인의 아름다움으로, 이제껏 그를 괴롭혀 왔던 고뇌는 한순간에 물거품이 되어 사라지고, 대신 새로운 사랑의 감정이 솟아오르는 것이었다.

"저기 저 기사의 손을 빛내 주고 있는 여인은 누구지?"

로미오가 줄리엣을 가리키며 하인에게 물었지만, 하인은 모르겠다는 말을 하고는 지나가 버렸다.

"아, 저 여자야말로 진짜 아름다움 그 자체로군. 마치 까마귀 떼 속에 섞여 있는 눈같이 하얀 비둘기 같군. 춤이 끝나면 저 여인이 있는 곳으로 가서, 저 손을 잡아 봐야겠어. 얼마나 흐뭇할까? 오늘밤에야 진짜 아름다움을 본 거야."

이 때 로미오의 등 뒤에 서 있던 한 청년이 그의 혼잣말을 들었다. 그도 가면으로 얼굴을 가렸지만, 로미오의 말에 어깨를 움찔대는 것으로 보아 어지간히 놀란 것 같았다.

'이 목소리는 분명 몬테규 족속의 목소리인데……. 여기가 어디라고 감히'

이 청년은 바로 티볼트였다. 그는 캐퓰릿 주변에서 이야기를 나누고 있는 사람들에게 다가갔다. 티볼트는 조용히 캐퓰릿의 팔을 끌어 구석으로 갔다.

"숙부님, 만찬이고 무도회고 간에 제게 칼을 뽑을 수 있도록 해 주십시오. 저런 놈을 그냥 두기에는 제 자존심이 허락하지 않습니다."

"무슨 일로 그렇게 화를 내는 거냐?"

"지금 이 집 안에 몬테규 집안 녀석이 와 있습니다. 망할놈이 오늘 밤 잔치를 망쳐 놓으려고 뻔뻔스럽게 와 있잖아요. 우리 가문을 위해서라도 저런 놈을 그냥 두어서는 안 됩니다."

"몬테규 녀석이라니?"

"몸집이나 목소리로 봐서 로미오가 틀림없습니다."

"티볼트, 가만히 있거라. 로미오는 몬테규 집안 자식답지 않게 품행이 바른 청년이다. 베로나에서도 그를 칭송하는 사람이 많지 않으냐! 그냥 못 본 척하고 내버려 둬라."

"숙부님, 저는 가만히 있을 수 없습니다. 전 참을 수가 없습니다."

"글쎄, 그냥 두라니까. 대체 여기 주인이 너냐, 나냐? 손님들 앞에서 난장판을 만들겠다는 게냐! 그렇게 하고 싶다는 거냐!"

"숙부님, 하지만 저희 무도회에 몬테규 녀석이 침입했다는 것은 분명 저희 가문의 수치입니다."

"닥치지 못하겠느냐. 수치라니! 그러다간 네가 화를 못 참아서 내 기분을 거스르겠구나. 건방진 녀석 같으니! 내 말을 거역하겠다면 당장 네놈이 나가거라."

캐퓰릿도 로미오가 자신의 무도회에 와 있다는 것이 반갑지는 않았지만, 바로 오늘 영주에게 근신 명령을 받은 상태였기 때문에 다시 말썽을 일으키고 싶지는 않았다. 캐퓰릿에게 야단을 맞자, 티볼트는 화를 참을 수 없다는 듯 투덜거리며 밖으로 걸어나갔다.

한편 로미오는 티볼트가 벼르고 있는지도 모른 채, 줄리엣에게서 눈을 떼지 못하고 있었다.

첫 만남

줄리엣은 홀의 분위기가 너무 소란스러웠는지, 미소를 띤 채 베란다로 갔다. 로미오는 하늘이 준 기회라고 생각하고 그녀의 뒤를 따라갔다. 로미오가 천천히 다가가자 그 발소리를 듣고, 줄리엣이 몸을 돌렸다.

"달이 무척 밝죠?"

줄리엣은 고요히 빛나는 달을 바라보며, 맑은 목소리로 말을 걸었다.

"정말 밝고 아름다운 달이군요. 하지만 조금 전까진 그토록 아름다웠던 달이, 지금 제게는 그리 밝고 아름다워 보이지 않는군요."

줄리엣은 가면 아래에서 새어 나오는 그윽하고, 따스한 목소리가 전해져와 전율을 느끼고 있었다. 영리한 줄리엣은 목소리만으로도, 가면 속에 있는 남자가 어떤 사람일지 상상할 수 있었다. 티볼트처럼 고집스럽지도 않고, 패리스 백작처럼 가냘프지도 않은, 듬직하고 믿음이 가는 목소리였다.

"그게 무슨 말씀이세요? 달빛이 가치를 잃었다니요?"

"달빛보다 훨씬 더 아름다운 분이 제 앞에 있거든요."

"어머!"

줄리엣은 느닷없는 사랑의 표현에 무척이나 놀라워했다. 로미오가 천천히 가면을 벗자, 밝은 달빛이 로미오의 얼굴 위로 쏟아졌다. 사랑의 불길을 품고 있는 밝은 눈동자, 호남형에 품위가 있는 그의 얼굴이 드러나자 잠시 두 사람은 석고상처럼 우뚝 서서 아무런 말도 하지 못한 채, 서로를 바라보고 있었다. 로미오가 먼저 입을 열었다.

"오늘 밤 무도회에 온 이유가 있었군요. 세상에서 제일 아름다운 것을 찾을 수 있었으니 말입니다."

줄리엣은 뭐라고 답해야 할지 당황해하며, 로미오의 적극적인 구애에 아무 말도 못 하고 얼굴만 붉힌 채 서 있었다. 로미오가 갑자기 줄리엣의 손을 잡았다.

"어머나!"

줄리엣이 놀라 손을 빼려고 했으나, 로미오는 그 손을 꼭 쥔 채 놓아주려고 하지 않았다.

"천한 제 손으로 이 아름다운 곳을 더럽히는 건 아닌가요? 그렇다면 그 죄에 대한 보상으로, 내 입술을 성스러운 분에게 드리고 싶군요. 그래서 그 더러움을 깨끗이 씻고 싶습니다."

"당신 손을 너무 심하게 모욕하는군요. 거룩한 순례자들은 성자의 손을 갖다 대고, 손바닥과 손바닥을 마주 대는 것을 키스하는 것이라고 한다던 걸요."

"순례자들도 입술이 있잖아요?"

"그건 기도를 올리기 위한 입술이에요."

"그러면 순결한 이여! 손으로 하는 것을 입술로 하면 되겠군요. 소원이니 허락해 주시면 안 될까요? 하느님에 대한 저의 사랑이 절망으로 변하면 안 되잖아요."

"성자의 마음은 변하지 않지요. 비록 소원을 들어 주는 일이 있더라도."

"그럼 움직이지 말아요. 당신 입술로 내 입술의 죄가 씻어지게요."

로미오가 줄리엣에게 키스를 하고 나자, 줄리엣의 유모가 베란다로 걸어왔다. 당황한 로미오가 급히 가면을 썼다.

"아가씨, 어머니가 하실 말씀이 있대요."

줄리엣은 로미오에게 수줍은 듯 인사를 하고, 홀 안으로 들어갔다. 로미오는 뒤따라 들어가려는 유모의 팔을 붙들고,

"저 아가씨의 어머니가 누구입니까?"

하고 물었다.

"이 집 딸이지 누굽니까? 어렸을 때부터 제가 고이 기른 아가씨죠."

유모는 알만하다는 듯 툴툴거리며 말하고는 되돌아갔다.

"뭐라고요? 그럼, 방금 그 아가씨가……. 세상에!"

로미오는 금방이라도 심장이 터질 것만 같았다.

'그렇다면 바로 그녀가 이 집안의 딸 줄리엣이란 말인가. 원수의 딸이란 말인가.'

로미오는 눈앞이 깜깜해지고 현기증이 나는 듯했다.

"캐퓰릿의 딸이라니! 원수의 딸이라니! 이 무슨 얄궂은 운명의 장난이란 말인가? 천사같이 아름다운 줄리엣이……. 아, 그녀를 절대 잊을 수 없어. 그토록 사랑스런 그녀를……."

잠시 후 정신을 가다듬은 로미오는 차가운 바람에 마음이 갈가리 찢어지는 듯한 아픔을 느끼며 홀로 들어갔다. 그 때 벤볼리오가 로미오의

곁으로 다가왔다. 벤볼리오는 로미오의 얼굴을 보며, 심상치 않은 일이 있었다는 것을 눈치 챘다.

"이젠 만찬회도 흥이 가셨으니 그만 나가도록 하죠."

로미오는 서둘러 그곳을 빠져나가려고 했다. 그러나 머큐쇼 일행이 밖으로 나가려 하자, 캐퓰릿은 더 놀다 가라면서 붙잡았다.

"벌써 가시려고 합니까? 간단한 다과라도 더 드시고 가시지요."

그러나 모두들 웅성거리며 돌아갈 채비를 서둘렀다.

"모두들 가신다면 할 수 없군. 여봐라! 어서 불을 밝혀 드려라."

캐퓰릿과 부인은 문 앞에서 일일이 손님들과 인사를 나누며 웃고 있었다. 홀 안에 남아 있던 줄리엣은 황홀한 기분에 젖어 돌아가는 사람들을 하나하나 살피고 있었다. 그러면서 로미오가 막 문을 나서려고 인사하는 것을 보면서 유모에게 물었다.

"유모, 저분이 누군지 알아?"

"누구요?"

"저기, 지금 인사를 나누는 분 말이야."

줄리엣은 안타깝다는 듯이 조급하게 물었다.

"잘 모르겠는데요."

유모는 그가 로미오라는 것을 알고 있었지만, 모르는 척하고 있었다.

"그럼, 어서 가서 이름을 좀 알아봐."

줄리엣이 안절부절못하며 다급하게 말하자, 유모는 줄리엣을 빤히 바라보다가 결심한 듯 말했다.

"바로 우리 집 원수인 몬테규 집안의 외아들 로미오예요."

유모의 말을 듣자 줄리엣은 그만 정신이 몽롱해져서 쓰러질 뻔했다. 창백한 얼굴로 쓰러지려는 줄리엣을 보며, 유모는 깜짝 놀라서 줄리엣을 부축해 안으로 들어갔다. 줄리엣은 잠시 동안 정신을 차리지 못했다.

"나가! 유모, 나 혼자 있고 싶어."

줄리엣이 정신을 차리고 나서 침울한 목소리로 말을 꺼내자, 유모는 아무 말도 하지 않고 방 밖으로 나갔다.

'아, 내 순정이 원수의 집안에 뿌리를 내리다니……. 하지만 이젠 너무 늦어 버린 걸! 원수라 해도 이제는 나도 내 마음을 어쩔 수가 없는데……. 앞이 보이지 않는 사랑…….'

손님들을 다 보내고 난 후, 캐퓰릿 부인이 줄리엣의 방에 들어왔을 때, 줄리엣은 죽은 듯이 침대에 누워 있었다. 부인이 침대 곁으로 다가가 줄리엣을 향해 몸을 숙였지만, 달빛이 비치고 있어 줄리엣의 얼굴이 창백하게 질려 있는 것을 알아채지 못했다.

"애야, 오늘 저녁 패리스 백작과 얘기를 나누었니?"

"어머니, 싫어요. 저 시집가지 않을래요."

부인은 딱 잘라 싫다고 하는 딸의 말에, 더 이상 물어볼 생각을 하지 못했다.

달빛 아래에서의 고백

로미오는 만찬에서 돌아왔지만, 그날 밤 밤이 새도록 눈 한번 제대로 붙이지 못했다. 어젯밤까지 그렇게 로미오의 마음을 괴롭히던 로잘린을 잊는 그 순간부터, 줄리엣이 더 큰 무게로 그의 가슴을 누르고 있었다. 줄리엣과의 일을 가슴에 묻어 두기에는 아픔과 그리움이 너무 컸던 그는 친구들을 찾아가기로 했다.

'머큐쇼와 벤볼리오라면 가볍게 입을 놀릴 친구들이 아니니, 그들을 찾아가자. 내 마음을 가라앉힐 수 있을 거야.'

로미오는 이런 생각이 들자, 바로 밖으로 나가 그들을 찾았다. 그리고 만나자마자 가슴속 아픔을 토로했다.

"그것 보세요, 형님! 로잘린보다 더 아름다운 여인을 보면, 형님의 고
민은 아침 이슬처럼 사라질 거라고 했잖아요. 그렇긴 한데 캐퓰릿 집
안의 딸이라니, 이건 문제가 더 심각해지는 것 같은데……."

머큐쇼는 더 심각해지기 전에, 일찌감치 단념하는 것이 낫다고 충고
했다.

"자네와 줄리엣이 맺어지기에는 두 집안의 원한이 너무 깊어. 상처가
깊어지기 전에 그만 여기서 멈추게나. 상처가 깊어지면 아무는 데도
시간만 길어지고, 고통만 더 심해진다네."

"자네들은 사랑이 뭔지를 몰라. 그래서 그런 말을 하는 거야. 자네들
이 나처럼 사랑을 하게 된다면 그런 말은 못 해."

로미오는 그들에게 하소연을 하면서, 마음의 위로를 얻기는커녕 도리
어 더 답답하기만 했다. 별이 반짝거리는 밤하늘에는 어젯밤과 똑같은
달이 떠올라 있었다. 로미오는 무슨 일이 있어도 다시 줄리엣을 만나야
겠다는 생각에 마음이 조급해졌다.

로미오가 발걸음을 재촉하자, 속마음을 알길 없는 머큐쇼와 벤볼리오
는 고개를 갸웃거리며 그 뒤를 쫓았다. 잠시 후 로미오는 캐퓰릿 저택
의 높다란 담 밑에 이르렀다. 담장 너머로 이층 지붕이 보였다.

'친구들이여, 그대들은 그대들 갈 길로 가게나.'

로미오는 뒤따라오는 두 사람에게 마음속으로 작별 인사를 했다. 그
리고 날쌘 동작으로 훌쩍 담을 뛰어넘었다. 방금까지 바로 앞에 있던
로미오가 사라지자, 벤볼리오와 머큐쇼는 사방을 둘러보며 그를 찾았
다. 그러나 아무리 불러도 대답이 없었다.

"아마, 집으로 간 모양이지."

"아닐 겁니다. 그렇게 마음이 심란한데, 그냥 집으로 가다니요? 분명

이 근처 어디에 있을 거예요."

"그럼, 이 담을 넘어 원수의 집에라도 들어갔단 말이야?"

"하늘로 솟지 않고 땅으로 꺼지지 않는 한, 아마도 그러지 않았을까요?"

"그렇게 현명하고 분별력 있는 로미오가, 아무리 사랑에 미쳤다고 해도 설마 그러기야 했겠어?"

"아마도 담 너머에 있지 않을까 싶어요. 한번 불러 보죠."

"로미오가 진짜로 미친 게 틀림없어. 그래도 한번 불러 보기로 하지. 어이, 로미오! 한숨짓는 모습이라도 좋으니 나오게. 그래야 안심이 되지."

차가운 달빛을 받은 밤 공기만 싸늘할 뿐 주위는 조용하기만 했다.

"야, 이 사랑에 미친 녀석아! 있으면 나와! 나오기 싫으면 대답이라도 해 주던가. 대답이라도 해 줘야 마음을 놓을 거 아닌가? 안 들리나?"

그러나 여전히 대답이 없었다.

"아마도 형님은 밤의 눅눅한 나무 그늘 속에 숨은 모양입니다. 사랑에 미치면 어둠만 찾는 법이라잖아요. 우리를 떼어 놓으려고 숨었을 텐데, 형님도 생각이 있을 테니 그냥 가지요. 설마, 분별없는 행동이야 하겠습니까?"

"사랑에 눈이 멀었으면 그는 지금쯤 나무 아래 앉아서, 자기 애인이 그 나무 열매 같았으면 하고 있을 걸세. 로미오, 그럼 잘 있게. 난 자러 가야겠네. 벤볼리오, 가세나."

그 때까지 로미오는 담 안쪽에 붙어 그들의 이야기를 듣고 있었다. 이윽고 그들의 발자국 소리가 멀어지자, 로미오는 한숨을 내쉬며 미소를 지었다.

"상처를 입어 보지 않은 녀석들은, 저렇게 남의 상처를 비웃는 법이지.”

　로미오가 혼자 중얼거리고 있을 때, 2층 창문이 열렸다. 로미오는 혹시나 하는 생각에, 숨을 죽이고 창문을 응시하고 있었다. 그런데 2층 창문으로 몸을 내민 사람은 바로 줄리엣이었다.

　줄리엣도 어젯밤 뜬눈으로 지새우고, 오늘도 하루 종일 방에 틀어박혀 괴로워했던 것이다. 한번 불이 붙은 첫사랑으로, 그녀는 난생 처음으로 견딜 수 없는 괴로움과 달콤함으로 몸부림치고 있었다. 줄리엣은 생각하면 생각할수록 자신에게 주어진 운명의 잔혹함에 몸서리를 치고 있었다. 하필이면 그 사랑의 상대가 원수의 외아들이라니……? 줄리엣은 자신도 모르게 탄식의 소리를 흘리고 있었다.

　“아아, 로미오 님! 왜 당신은 로미오 님인가요? 당신의 이름은 원수의 이름이군요. 사랑하는 로미오 님, 애타는 이 마음을 아신다면, 제발 그 로미오란 이름을 버리세요. 당신의 집을 버릴 수는 없는지요? 그렇게 할 수 없다면, 나를 사랑한다는 단 한 마디라도 해 주면 안 되나요? 그러면 저도 기꺼이 캐퓰릿이라는 이름을 버리겠어요.”

　로미오는 줄리엣의 달콤한 탄식을 듣고, 감격에 벅차서 몸이 떨려왔다.

　‘오오, 줄리엣, 내가 로미오란 걸 알고 있군요. 그녀는 내가 원수의 집 자식인 줄 알면서도, 집안을 버리고서라도 나를 사랑한다고 맹세하고 있지 않은가! 말을 걸어 볼까? 아니야. 조금만 더 무슨 말을 하는지 더 들어 보는 게 좋을 것 같아.’

　“당신의 이름만 제 원수예요. 로미오 님, 당신의 그 이름을 버리고, 당신과 아무 상관도 없는 당신의 이름 대신 저를 가지세요.”

　줄리엣의 말에 로미오는 자기도 모르게 말을 하고 말았다.

　“줄리엣, 이 로미오는 당신만을 사랑하오. 당신도 나를 사랑한다고 말해 준다면, 다시 세례를 받고 로미오란 이 이름을 버릴 거요."

줄리엣은 창가에 기대고 있던 몸을 일으키고 두리번거렸다.

"누구세요? 한밤중에 남의 집 담을 넘고 나무 뒤에 숨어서, 몰래 남의 얘기를 엿듣고 있는 당신은 누구인가요?"

줄리엣의 목소리는 두려움에 떨렸다. 로미오는 숨어 있던 나무 그늘에서 나와 달빛 속으로 몸을 드러냈다.

"누구냐구요? 내 입으로 내 이름을 말할 수는 없소. 내 이름은 바로 당신 원수의 이름이니, 나 자신도 그 이름이 밉다오. 내 이름이 종이에 씌어진 것이라면 갈가리 찢을 수 있으련만."

줄리엣은 낯익은 목소리에 저도 모르게 창 밖으로 몸을 내밀고, 정원을 뚫어져라 살펴보았다. 순간, 줄리엣은 가슴이 멎는 듯했다.

"오, 정말 당신이군요. 로미오 님, 당신은 로미오 님이 맞지요? 당신과 몇 마디 나누지는 않았지만, 전 알 수 있답니다. 로미오 님, 당신이지요?"

"당신이 싫어하는 내 이름을 차마 말하기 어렵구려."

줄리엣은 떨리는 마음으로 걱정스레 물었다.

"그런데 이 밤에 어떻게 여기 계시나요? 높은 담을 뛰어넘으셨어요? 당신이 여기 있는 것을 식구들에게 들키면, 당신의 생명이 위험해요."

"우리 사랑 앞에 이까짓 돌담이 무슨 방해물이 되겠소? 사랑은 무슨 일이든 할 수 있는 것이라오. 그러니까 당신네 식구들도 나를 막지는 못하오."

"하지만 로미오 님, 우리 집안 식구들에게 들키는 날엔……."

"어둠이 가려 주니 걱정하지 마시오. 당신의 굳은 사랑의 언약을 듣지 못할 바에야, 차라리 당신 식구들에게 들켜 버리는 게 낫소. 당신의 사랑을 잃고 실의에 빠져 그저 살아가는 것보다는, 차라리 미움의 칼날 앞에 목숨을 내던지는 편이 훨씬 나을 테니까……."

줄리엣은 용기를 내어 로미오를 바라보며, 그 맑은 눈동자에 미소를 지었다.

"어둠이 이렇게 고마운 줄은 몰랐어요. 이전에는 어두운 밤이 무섭기만 했는데, 오늘처럼 이렇게 어둠이 고마운 날도 있네요. 내 얼굴이 다 드러나지 않는 것도 정말 다행이에요. 수줍어서 양볼이 달아오르거든요."

"줄리엣, 수줍어하지 말아요."

"로미오 님, 제 말을 다 들으셨잖아요. 어제까지만 해도 얌전한 숙녀처럼 점잖을 떨었지만, 이젠 그런 체면이 소용 없어요. 로미오 님! 저를 사랑하신다고 하셨지요? 굳이 말하지 않으셔도 그 마음이 이렇게 전달되어 오니……."

로미오는 줄리엣이 사랑의 여신의 힘에 이끌리어, 종달새처럼 자신의 감정을 토로하는 것을 꿈에 젖은 듯이 듣고 있었다.

"로미오 님은 저를 어떻게 생각하실까요? 버릇없는 여자라고 책망하지는 않을까요? 그래도 좋아요. 당신의 꾸중이라면 얼마든지 들을게요. 시치미를 떼고 마음을 숨기느니 진실만을 말하고 싶어요."

"줄리엣, 그 진주 같은 말 한 마디 한 마디는 나에게 생명수랍니다. 당신의 손짓 하나도 내 마음을 사로잡기에 충분하오."

"당신이 숨어서 듣지만 않았더라도, 제가 좀더 얌전하게 굴었을지도 몰라요. 하지만 그저 들뜬 마음으로 사랑의 고백을 한 것이 아니란 걸 알아 주셨으면 해요."

"줄리엣, 그런 말 하지 말아요. 우리 사랑이 순수하기만 하면 되는 것이라오."

"로미오 님, 부디 저를 버리지 마세요!"

"버리다니요! 당치도 않소. 저 달을 두고 맹세하겠어요."

"로미오 님! 저 줏대없는 달을 두고 맹세하지 마세요. 이지러졌다가 둥글게 되고, 둥글게 되었다 다시 이지러지는 저 변덕스런 달처럼 로미오 님의 사랑도 변할까 봐 두려워요."

"그럼, 무엇에 맹세를 해야 내 마음을 믿어 주겠소?"

"맹세는 하지 마세요. 기어이 하시려면, 당신 자신에게 하세요."

"피 끓는 내 가슴에 대고 맹세를……."

"아니오. 로미오 님. 맹세를 하지 않는 게 좋겠어요. 맹세를 하는 건 아무래도 겁이 나요. 너무 느닷없고, 갑작스럽고, 경솔한 것 같아요."

"줄리엣, 이건 갑자기 하는 맹세가 아니오. 어제 하룻밤과 오늘 오후 낮이 내겐 천 년과도 같이 긴 시간이었소. 이 천 년 동안 내 가슴에 새겨진 사랑의 맹세가 어찌 성급하단 말이오?"

"로미오 님, 줄리엣도 로미오 님처럼 어젯밤이 기나긴 시간이었어요. 하지만 우리가 너무 서두르는 것 같아요. 이제 들어가야겠어요. 유모가 올 시간이에요."

"줄리엣, 이대로 헤어진다면 나는 다시 저 생지옥으로 떨어질 것 같소."

"저 또한 헤어지고 싶지 않아요. 하지만 헤어지지 않을 수 없잖아요. 함께 있는 시간이 길어질수록 괴로움도 더 커진다는 것을 모르세요?"

"줄리엣, 이대로 기약 없이 헤어질 수는 없어요."

그 때 2층 줄리엣의 방에서 유모의 목소리가 새어 나왔다.

"아가씨, 아가씨! 어디 계세요?"

유모의 당황한 목소리에 줄리엣은 서둘렀다.

"유모가 찾고 있어요. 그럼 안녕히 돌아가세요."

"줄리엣, 이대로 헤어질 수는 없소. 여기 숨어 있으면 유모도 못 찾을 거요."

"가야 해요. 저는 로미오 님을 믿어요. 제가 내일 유모를 보낼 테니까, 광장에서 기다려 주세요. 유모는 저를 친자식처럼 사랑하니까, 내 비밀을 지켜 줄 거예요. 진정 당신의 애정이 거짓이 없다면, 유모가 가거든 어느 날 어느 때 어느 곳에서 결혼식을 올릴 것인지 말씀해 주세요. 나는 당신을 남편으로 모시고, 당신이 가는 곳이 어디든 따라가겠어요."

"아가씨!"

다시 유모가 부르는 소리가 들렸다.

"응, 잠깐만 기다려! 곧 갈게."

로미오는 한순간 자신의 귀를 의심했다. 마치 꿈을 꾸는 듯했다.

"아, 줄리엣, 오늘 밤 나는 행복한 꿈에 젖어서, 잠을 이룰 수 있을 것 같소."

"내일 유모를 꼭 보낼게요. 이젠 돌아가세요."

"헤어지기가 이렇게 아쉽다니……."

"저도 마찬가지예요. 그럼 안녕히 가세요."

"그럼, 안녕."

줄리엣이 로미오를 남겨 두고 사라지자, 로미오도 다시 담을 넘었다.

비밀 결혼

새벽 이슬이 내린 성당의 뜰에서 한 신부가 꽃을 돌보고 있었다. 베로나 사람들은, 귀족이나 평민 가릴 것 없이 모두 이 신부를 존경했다. 그는 다른 사람의 괴로움이나 어려움을 보면, 성심으로 도와주는 사람이었기 때문이다. 그가 나무 속에서 약동하는 생명력을 느끼고 있을 때 누군가 인사하는 소리가 들렸다.

"안녕하셨어요? 신부님."

"오, 로미오구나. 아침 일찍 웬일이지?"

신부는 밤새 잠을 이루지 못해 붉게 충혈된 눈으로, 아침 일찍 찾아온 로미오를 이상히 여기며 물었다.

"아니, 밤새 한잠도 자지 못한 모양이구나! 무슨 괴로운 일이라도 있느냐?"

"네, 신부님. 신부님은 저를 이해해 주실 거라고 생각해서 왔어요. 이제 어제의 로미오는 죽고, 새로운 로미오가 태어났습니다."

"아침부터 도대체 그게 무슨 말이냐? 난 도무지 알아들을 수가 없구나."

"아마, 그러실 거예요. 그 말씀을 드리려고요."

"그래, 어디 한 번 말해 보려무나. 네 가슴이 기쁨과 괴로움에 아주 뒤엉켜 있는 것 같으니 말이다."

"신부님, 저는 어젯밤 이 세상에 태어나서 가장 행복한 시간을 보냈습니다. 그런데 그 기쁨 뒤에는 제가 감당하기엔 너무나 벅찬 높은 벽이 있습니다."

"그러면 로잘린과 같이 있었다는 얘기냐?"

"아뇨, 신부님. 로잘린은 이제 저와 아무 관계도 없는 사람이 되었어요."

"그래? 그거 놀라운 일이로구나."

"신부님, 전 이번에야말로 진짜 참사랑을 찾아 냈어요. 캐퓰릿 가의 줄리엣과 오늘 결혼하려고 해요."

신부는 이루지 못할 로잘린에 대한 짝사랑으로 그 동안 로미오가 가슴앓이를 한 것을 알고 있었기에, 이 새로운 소식에 놀라서 로미오의 얼굴을 빤히 바라보았다.

"오, 하느님! 너는 로잘린 때문에 밥도 제대로 못 먹고, 울며 괴로워하지 않았느냐? 아직 네 볼에 눈물 자국이 다 사라지지도 않았는데, 그 고민이 이제 로잘린 때문이 아니라고? 사내 대장부가 그렇게 쉽게 변덕을 부리다니!"

"신부님도 로잘린을 사랑한다고 꾸짖으셨잖아요."

"그건 로잘린을 사랑하는 게 나쁘다는 것이 아니라, 사랑에 빠지는 게 나빠서 그런 거지."

"제발 꾸짖지 마세요. 지금 사랑하는 여자는, 사랑이 무엇인지를 알고 받아들이는 사람이에요. 그렇지만 로잘린은 그렇지 않았어요."

"로잘린이 사람을 잘 봤구나. 너는 진실한 사랑을 몰라. 수박 겉핥기 식의 사랑이야. 아무튼, 가자. 이 들뜬 청년아! 이 기회에 다행히 두 집안의 원한이 풀릴지도 모르는 일이니. 내 힘으로 도와줄 수 있는 것이라면 도와주마."

"신부님! 저도 그 부탁을 드리려고 온 거예요. 제발 저를 도와주십시오."

"그래, 어디 얘기나 들어 보자꾸나. 내가 도와줄 수 있으면 도와줄 테니. 여기서 이럴 게 아니라, 일단 안으로 들어가자꾸나."

두 사람은 로렌스 신부의 서재로 들어가서 이야기를 나누었다. 로미오가 파티에서 줄리엣을 만난 이야기, 두 사람이 첫눈에 사랑에 빠지게 되었다는 이야기 등을 다 들은 신부는, 의자에 깊숙이 몸을 묻은 채 한참 동안 생각에 잠겼다.

"신부님! 저희들을 도와주십시오. 설마, 신부님도 제게 실망을 주시진 않겠지요? 전 신부님만 믿고 왔어요."

신부는 미소 띤 얼굴로 힘있게 말했다.

"그래, 원수를 사랑하는 건 좋은 일이야. 너희들은 부모의 결점을 이어받지 않고 원수를 사랑으로 대하는 숭고한 사도들인데, 내가 어찌 이 일을 못 본 체하겠느냐?"

"고맙습니다, 신부님! 정말 고맙습니다. 신부님의 말씀을 들으니, 다시 기운이 나는 것 같습니다."

로렌스 신부는 그 동안 캐퓰릿과 몬테규 두 집안의 화해를 위해 온갖 노력을 다해왔다. 그런데 자신이 하지 못한 이 일을, 두 젊은 남녀가 사랑의 힘으로 실현하려고 하는 것에 깊이 감동했던 것이다.

"신부님, 그래서요. 저희들은 오늘 결혼하기로 약속을 했습니다."

로미오의 말에 로렌스 신부는 너무나 놀라서 말을 더듬을 정도였다.

"뭐라고? 오늘……. 오늘 결혼을 한다고? 그렇게나 빨리?"

"신부님, 저희들 두 사람은 지난 이틀 밤이 마치 천 년의 세월이 지난 것처럼 길게만 느껴졌습니다."

"아무리 그래도, 로미오. 그렇게 빨리는……."

"빠르지 않아요, 신부님. 오늘 저희들의 주례를 신부님께서 맡아 주세요."

신부는 로미오의 결심이 이미 확고한 것을 보고는 승낙했다.

"그래, 내가 주례를 서 주마. 그리고 너희들의 결혼도 축복해 주마. 이 결혼으로 너희 두 집안의 오랜 원한이 눈 녹듯 사라진다면, 그 이상 더 기쁜 일이 어디 있겠느냐?"

신부는 자신에게 다짐하듯이 말했다. 그리고 신부의 대답을 들은 로미오는 인사를 마치기가 무섭게 나갔다.

결 투 장

그 무렵, 벤볼리오와 머큐쇼는 베로나 광장 부근에서 서성대고 있었다.

"벤볼리오, 로미오 소식 아는가? 도대체 이 친구가 어딜 갔을까? 어제 집에도 안 들어갔었나?"

"하인이 안 들어왔다고 했습니다. 그나저나 티볼트, 그 자가 로미오네 집으로 편지를 보내왔다고 합니다."

"필시, 결투 신청장이겠지."

"아마, 로미오 형님은 응할 겁니다."

티볼트는 베로나 제일의 무사라는 소문이 자자할 뿐 아니라, 이는 세상이 다 아는 사실이었다. 그러나 친구인 머큐쇼도 로미오가 칼을 잘 쓴다거나 무예가 뛰어나다는 얘기를 들어 본 적도, 싸우는 모습을 본 적도 없었으니 걱정이 될 수밖에 없었다.

벤볼리오와 머큐쇼는 진심으로 로미오를 걱정하며 거리로 나왔다. 그러나 막상 밖으로 나와서는, 도대체 어디로 가야할지 막막하기만 했다.

"불쌍한 로미오. 사랑하는 내 친구가 시들어 가겠군. 티볼트, 잔인한 놈 같으니! 로미오의 칼솜씨가 자신에게 미치지 못한다는 것을 뻔히 아는 녀석이 결투장을 보내다니, 비겁한 놈!"

"티볼트 녀석, 여간 적개심이 많은 놈이 아닙니다. 캐퓰릿 집안에서 제일가는 고집쟁이예요. 놈은 틀림없이, 그저께 우리가 자기들의 만찬회를 망쳐 놓았다고 생각하는 거예요."

벤볼리오의 말처럼 머리 끝까지 화가 나 무도회장을 나갔던 티볼트는, 그 분노를 가라앉힐 수 없었던 것이었다. 그날 밤은 숙부가 말려서 겨우 참았지만, 날이 새고 아무리 생각을 해 봐도 로미오를 고이 돌려

보낸 것이 여간 자존심 상하는 일이 아니었던 것이다. 그래서 복수를 해야 직성이 풀리는 그의 성격대로 결투장을 보냈던 것이다.

"로미오가 어떻게 티볼트의 칼과 맞설 수가 있겠나? 눈과 귀는 사랑의 노래에 막혀 버리고, 심장은 아이들 장난감 화살에 뚫렸으니 이미 송장이나 다름없지. 그런 로미오가 무슨 재주로 티볼트를 상대하겠느냐고?"

머큐쇼가 티볼트의 칼솜씨를 추켜세우자, 벤볼리오는 약간 불쾌해지기 시작했다.

"그렇지만, 티볼트가 아무리 칼을 잘 쓴다고 해도 그도 사람이 아닙니까?"

"아니야, 적어도 칼을 잡을 때만은 사람이 아니라고 할 수 있지. 그럴 때는 귀신이 씌인 것 같다니까. 놈은 칼을 잡으면 춤을 추는 것처럼 날아서, 숨돌릴 틈도 없이 상대방의 가슴에 칼을 꽂아 놓으니까."

"그렇지만 로미오 형님도 만만치 않습니다. 칼솜씨를 드러내지 않아서 그렇지, 칼 다루는 솜씨는 누구 못지않을 테니까요. 새벽마다 숲 속에서 검술 연마를 하는 것을 여러 번 봤습니다."

"뭐? 사랑에 미친 그 얼간이가 그런 연습도 하나?"

머큐쇼는 믿을 수 없다는 듯 벤볼리오를 쳐다보며 물었다.

"그럼요. 내 눈으로 똑똑히 본 걸요."

"그렇지만 벤볼리오, 그건 어디까지나 나뭇가지를 상대로 한 연습 아닌가. 피하지도 않고 막을 힘조차 없는. 상대가 베로나 제일의 무사라면, 로미오의 칼도 얼어붙지 않을까 걱정이군."

말을 마치기가 무섭게, 벤볼리오가 머큐쇼의 팔을 붙들고 걸음을 멈추었다. 광장 저쪽에서 로미오가 걸어오고 있었던 것이다. 로미오의 얼굴에는 행복한 미소가 넘치고 있었고, 걸음은 나는 듯이 가볍고 즐거워 보였다.

"어이, 두 친구, 모두 별일 없나?"

"자네가 걱정을 끼치는 거 외에는 없지."

머큐쇼가 얄밉다는 듯 말했다.

"용서하게. 어젯밤은 급한 일이 있어서 그랬네. 미안해."

사실 로미오는 줄리엣이 보낸 유모를 기다리기 위해, 광장으로 온 것이었다. 행복감에 도취되어 있던 로미오는, 멀찌감치 떨어져서 자신을 바라보고 있는 벤볼리오와 머큐쇼도 알아 보지 못할 정도였다. 바로 앞에 이르러서야, 자신의 둘도 없는 친구들이 서 있는 것을 보았다.

벤볼리오는 로미오의 인사를 받으면서, 어떻게 말을 시작해야 할지 망설였다. 로미오에게 결투장에 대한 소식을 전할 생각을 하니, 썩 마음이 내키지 않았던 것이다.

"걱정했잖나. 자네 같은 못난이 때문에!"

벤볼리오와는 달리, 머큐쇼는 익살스런 표정으로 말을 꺼냈다. 그의 가슴속에도 불안이 있긴 했지만, 평상시와 같은 모습으로 로미오를 맞았다.

"걱정이라니! 당치도 않은 말일세. 이렇게 행복한 나를 왜 걱정하는가?"

로미오는 어제와는 완전히 다른 모습이었다. 로미오가 행복해 할수록 벤볼리오는 점점 더 결투장 얘기를 꺼내기가 어려워졌다. 어떻게 말을 꺼내야 할 지 궁리를 하고 있는데, 설상가상으로 훼방꾼까지 나타났다.

심부름꾼 유모

"휴, 숨차라! 늙으면 이렇다니까. 이렇게 걷기가 힘들어서야 원."

세 사람은 자기들의 이야기에 열중하고 있어서, 줄리엣의 유모가 다가오는 것을 알지 못하고 있었다. 그녀는 급히 오느라 애를 썼는지 세 사람 앞에 섰을 때는 헐떡이고 있었고, 그 뒤에는 유모의 시중을 드는 피터도 있었다.

"아!"

로미오가 유모를 곧 알아 보고 기쁨의 탄성을 지르자, 유모는 짐짓 모르는 척하며 로미오에게 물었다.

"댁이 로미오 도련님이우?"

"그렇소. 내가 로미오요."

"댁이 로미오 도련님이라면 댁하고 할 얘기가 좀 있어서 그런데."

유모의 투덜거리는 소리를 멍하니 바라보고 있던 머큐쇼는, 그녀의 말이 끝나자마자 유모의 말투를 흉내내며 말했다.

"그럼 이 몸은 물러가리다. 안녕히 계슈, 마님."

머큐쇼는 한 마디도 못하고 걱정스런 얼굴로 로미오를 바라보고 있던 벤볼리오를 이끌고, 광장 저편으로 자리를 옮겼다. 그들이 사라지자 유모는 바로 말을 꺼내기 시작했다.

"도련님, 아가씨께서 이 곳으로 가라고 해서 왔습니다. 이 일은 저밖에 모르니 안심하셔도 되구요. 저는 줄리엣 아가씨를 위해서라면, 무슨 일이든 하는 사람이지요. 그러나 도련님 말씀을 듣기 전에 먼저 한 마디 해야겠습니다."

유모는 한숨을 쉬고 호흡을 가다듬고 있었다.

"무슨 말이요?"

"만일 도련님께서 세상 건달들처럼 우리 아가씨를 속인 것이라면, 생각을 잘 하셔야 할 것입니다. 젊고 순진한 우리 아가씨 신세를 망친다면, 이 유모가 가만히 있지는 않을 테니까요."

로미오는 유모의 말 속에서 줄리엣에 대한 깊은 사랑을 느낄 수 있었다. 그리고 유모의 그 마음을 충분히 이해했다.

"유모, 그런 쓸데없는 걱정은 말고, 줄리엣에게 내 말을 전해 주오. 당신 앞에 맹세하지만……."

"네, 전해 드리죠. 틀림없이 도련님이 말씀하신 대로 전해 드리겠습니다. 그 말을 전해 드리면 아가씨께서도 무척이나 기뻐하실 겁니다."

로미오는 어이가 없어 유모를 바라보았다.

"아니, 유모. 대체 무슨 말을 전하겠다는 것이오? 내가 무슨 말을 하기나 했소?"

"뻔한 말 아닙니까? 도련님께서 신사분답게 확실히 맹세하셨다고, 제 앞에서 확실히 맹세하셨다고 전해야겠지요, 뭐."

로미오는 유모가 계속 말하기 전에, 빨리 용건을 말해야겠다고 생각했다.

"줄리엣에게 다음과 같이 전해 주시오. 무슨 일이 있더라도, 오늘 오후 고해성사에 꼭 나와 달라고 해요. 고해성사가 끝나면 로렌스 신부님 주례로 결혼식을 올릴 거라고요."

"아니, 그렇게나 빨리요?"

말이 많던 유모도 놀라 벌어진 입을 쉽게 다물지 못했다. 어젯밤 두 사람 사이에 무슨 말이 오갔는지 알지 못하는 유모로서는, 충격적인 말이 아닐 수 없었다.

"하여튼, 그렇게 전해 주시오."

"오늘 오후에 결혼식을 올린단 말이죠? 전하고 말고요. 아가씨께서 기다리던 소식이 이거였군요. 오늘 오후에 아마, 아가씬 꼭 나올 거예요."

유모가 발길을 돌리려고 하자, 로미오가 급히 유모를 다시 불렀다.

"유모는 고해성사가 끝나면 바로 집으로 가지 말고, 성당 뒷담에서 잠시 기다려 주시오. 그러면 내가 줄사다리를 갖다 줄 테니."

"줄사다리요?"

유모가 무슨 소리냐는 듯이 되물었다.

"그렇소, 줄사다리. 그래야 내가 결혼식 후에 2층에 있는 줄리엣의 방에 들어갈 수 있지 않겠소. 그럼 조심해서 가시오. 오후에 성당에서 만나요."

"도련님, 부디 축복 받으시길!"

"아가씨에게 안부 꼭 전해 주시오."

"예, 천 번이라도 전하지요."

한편 줄리엣은 정원 벤치에 앉아서 유모가 돌아오기만을 애타게 기다리고 있었다. 대문 쪽에서 바스락거리는 소리만 나도, 유모가 돌아온 줄 알고 신경을 곤두세우고 있었다.

'로미오 님이 유모에게 어떤 소식을 주었을까? 결혼식을 한다는 소식일까? 결혼식을 하면, 어디서 어떻게 하지? 그나저나 유모는 왜 이렇게 안 오는 거야?'

줄리엣은 애꿎은 유모를 원망하다가도, 어쩌면 유모가 로미오를 만나지 못했을지도 모른다는 생각이 들어 초조했다.

'로미오 님을 못 만난 걸까? 반시간이면 돌아온다고 했는데, 아직도 안 돌아오는 걸 보면 혹시 못 만났을지도 몰라. 어쩌면 로미오 님이 일시적인 감정으로 나를 뒤흔들어 놓은 건 아닐까? 설마, 그렇지는 않겠지?'

불안한 생각을 이어가고 있을 때, 대문에서 삐걱거리는 소리가 들려왔다. 줄리엣은 반사적으로 벌떡 일어났다. 숨을 헐떡이며 유모가 들어

오고 있었던 것이다.

"자네는 그만 들어가 보게."

유모는 피터를 들어가게 하고는, 천천히 줄리엣에게 걸어왔다.

"유모! 로미오 님을 만났어?"

줄리엣은 애가 타서 참지 못하고 유모를 불렀다. 그러나 유모는 일부러 능장을 부리며 딴청을 피우고 있었다. 줄리엣은 울상이 되었다.

"유모, 왜 대답을 못 해. 그분을 못 만난 거야? 안색이 왜 그래? 슬픈 소식이라도 좋으니까 빨리 말 좀 해 봐."

유모는 여전히 아무 말도 하지 않다가, 푸념부터 늘어놓기 시작했다.

"아휴, 피곤해라! 좀 쉬어야겠어요. 늙으면 그저 죽어야 한다니까. 겨우 그만큼 걸었다고 이렇게 뼈마디가 쑤시는 걸 보니……."

"유모, 진짜 수고했어. 다리는 내가 주물러 줄게. 그러니 어서 다녀온 얘기나 해 줘."

줄리엣은 정말 허리를 굽히고 유모의 다리를 주무르려고 했다.

"그만둬요. 주물러서 나을 다리 같았으면 벌써 나았지요. 아무리 급해도 우선 숨이나 돌려야 얘기가 나오지 않겠어요?"

"아이, 참! 빨리 얘기 좀 해 봐. 그런 말하는 사이에 벌써 소식을 전하고도 남았겠어."

"아가씨 성미가 그렇게 급한 줄은 이 유모도 몰랐구려."

"또 딴 소리! 유모, 제발. 말하기 힘들면 한 마디라도 좋아. 나쁜 소식인지 좋은 소식인지 그것만 얘기해 줘. 궁금하고 답답해 죽겠어. 좋은 소식이야, 나쁜 소식이야?"

유모는 능글맞게 웃으며 치마를 빙글빙글 돌렸다.

"우리 아가씨가 이렇게 바보인 줄 몰랐네요. 영리한 분이 그렇게 사람 보는 눈이 없으니, 쯧쯧. 그래, 왜 하필이면 로미오 도련님이에요?

내 그분을 뵈니 누구에게도 빠지지 않을 미남에다가, 늘씬한 몸매에 예의범절은 으뜸입니다. 아가씨, 이제 화가 풀렸소? 그러면 어서 하느님께 감사의 기도나 하세요. 참, 점심은 드셨어요?"

"속이 타서 죽겠는데, 점심이 넘어가겠어? 내가 알고 싶은 건, 그게 아니고……. 그분이 우리 결혼에 대해 아무런 얘기도 하지 않았어?"

유모는 또 딴청을 부렸다.

"아이구, 이제는 머리까지 쑤시네. 막 도끼로 찍는 듯이 아파오는군요. 어라, 이젠 허리도? 아가씨 심부름 두 번 했다간 골병 들어 죽고 말 것 같아요."

"유모! 계속 딴청 부릴 거야? 내가 다 미안해. 그러니까, 진짜 로미오 님이 뭐라고 하셨어?"

줄리엣은 더 이상 화도 내지 못하고 애원하다시피 매달렸다.

"아가씨가 이렇게 애를 태우는 건 정말 처음 보네요. 그런데 아가씨, 오늘 고해성사에 가실 승낙은 얻었어요?"

"응."

"그럼 빨리 로렌스 신부님의 성당으로 가세요. 도련님이 거기서 아가씨를 아내로 맞으려고 기다리고 있을 거래요."

줄리엣의 두 볼이 홍조를 띠기 시작했다.

"아니, 우리 아가씨 백옥 같은 살결이 사과처럼 빨개졌네. 좋긴 좋은 모양이구려. 자, 빨리 성당으로 가기나 해요. 줄사다리는 내가 준비해 둘 테니까."

"줄사다리는 왜?"

"아, 그런 게 있죠. 도련님에게 사랑의 보금자리를 찾아 줄 거니까요. 세상은 불공평도 하지. 재미는 아가씨가 보는데, 왜 고생은 내가 해야 하는 건지 원."

유모는 투덜대고 있긴 했지만, 얼굴에는 미소를 머금고 있었다.

그 날 오후 로미오는 로렌스 신부의 방에서, 줄리엣이 오기만을 기다리고 있었다.

"신부님, 이 행운을 제 손으로 붙잡았으니, 어떤 어려움이 있더라도 이겨 내겠습니다. 신부님께서 거룩한 하느님의 이름으로 저희를 맺어 주세요. 그 사랑의 힘으로 어떤 어려움도 이겨내겠어요."

신부는 약간 걱정스러운 듯이 말했다.

"격렬한 기쁨은 격렬한 종말이 있는 법이다. 불과 화약이 닿자마자 폭발하듯이 말이다. 매사에 지나치게 자신감을 갖는 건 좋지 않아. 기쁨이 크다고 해서 불처럼 타오르는 것도 좋지 않아. 불길이 세면 셀수록 빨리 타오르는 법이다. 꿀도 너무 달면 오히려 제 맛을 잃는 법이듯, 사랑도 마찬가지니라. 적당하지 않으면 오래가지 못한다는 것을 알아야 한다. 영원한 사랑은 다 그렇지. 너무 서두르면 오히려 살펴 가는 것보다 느리니라. 아, 저기 줄리엣이 오는구나."

사뿐히 걸어오는 줄리엣의 모습이 로미오의 눈에 띄었다. 그녀의 얼굴은 어젯밤 달빛 아래에서 볼 때보다 한층 더 아름다워 보였다.

"신부님, 안녕하세요?"

줄리엣의 목소리는 행복함으로 따스하게 들려왔다.

"로미오 님, 간밤에 무사히 가셨어요?"

로미오는 대뜸 가까이 다가가 그녀를 힘껏 껴안았다. 그것이 로미오의 인사였다.

"줄리엣, 당신과 내 기쁨은 더하고 덜한 것이 없을 거요. 이 기쁨을 어찌 표현해야 할지 모르겠소. 당신의 아름다운 말로 그 기쁨을 표현해서, 이 방 안에 향기가 가득하게 해 주시오."

줄리엣은 로미오의 품에서 수줍게 웃고 있었다.

"가난한 사람이 가진 돈은 헤아릴 수 있어요. 하지만 우리 사랑은 너무 커서 절반도 헤아릴 수가 없어요."

신부는 일을 빨리 끝마쳐야겠다고 생각하고, 서둘러 결혼식을 올리게 했다. 두 사람은 부푼 가슴을 안고 신부의 뒤를 따라 성당으로 들어갔고, 하느님 앞에서 성스러운 결혼식을 올렸다.

제2장

머큐쇼의 죽음

머큐쇼와 벤볼리오는 로미오가 걱정스러워서, 베로나 거리를 돌아다니다가 다시 광장으로 돌아왔다.

"로미오 형님이 아직까지 이 곳에 있을 리가 없습니다. 그러니 우리도 돌아갑시다. 날씨도 무더운데, 캐퓰릿네 것들까지 활개를 치고 다니니 마주치기라도 하면 틀림없이 싸움이 날 것 같아요. 이렇게 무더운 날은 화도 잘 나니까."

"아니, 우리가 왜 숨어?"

"이러다 화가 난 티볼트와 마주치기라도 한다면, 아마 우리는 무사하진 못할 겁니다. 놈들이 눈에 불을 켜고 거리를 쏘다니고 있을 테니까요."

"만나기만 하면 칼을 빼들고 싸운단 말이야?"

머큐쇼는 어이없다는 표정으로 벤볼리오를 쳐다보았다.

"알 수 없잖아요? 감정은 이성을 앞지르는 경우가 많으니까."

"벤볼리오. 그렇게 겁쟁이 같은 생각으로, 어떻게 이 세상을 살아가겠나?"

"머큐쇼 형님은 겁나지 않는다는 건가요?"

"난 싸울 때는 싸우고 피할 때는 피해. 가끔 자네 말처럼 감정이 이성을 앞지르는 경우도 있으니까. 그래도 피해 다닐 필요까지 있겠나?"

"형님이 로미오 형님과 친하다는 건 세상이 다 아는 사실이에요. 티볼트가 그걸 모를 리 없구요."

"난 누구를 만나든 싸움을 벌이진 않네. 자네 같은 생각을 가진 사람은 날마다 싸움을 하지. 자네는 툭하면 싸우지 않나? 늘 싸움을 즐기며 사는 사람들은 미리 짐작하고, 싸움이 일어날까 봐 겁부터 먹는 거야. 세상에 자네 같은 사람이 둘만 있어도, 이 거리는 피비린내 나는 싸움이 그치지 않을 거야."

"싸움을 좋아하는 건 내가 아니라 형님이에요. 형님은 남을 골려 주다가 상대가 화를 내면, 같이 화를 내며 곧 싸우려 들잖아요?"

"내가? 난 싸울 이유가 있을 때만 싸워."

"쉿!"

벤볼리오는 갑자기 머큐쇼의 팔을 잡아끌며 걸음을 멈추었다. 티볼트가 광장으로 통하는 골목에서, 하인들을 거느리고 거만하게 걸어오고 있었다. 티볼트의 얼굴은 먹이를 눈앞에 둔 호랑이 같았다. 티볼트는 마침 잘 만났다는 듯이 회심의 미소를 지으며 하인들을 돌아 보았다.

"내 뒤에 바싹 붙어 있거라. 저 몬테규 놈들과 얘기 좀 해야겠다."

광장의 공기가 갑자기 험악해지고, 거리가 좁혀지면서 티볼트가 거만하게 입을 열기 시작했다.

"안녕하시오! 두 분 중 한 분에게 내가 용건이 좀 있소이다."

"할 말이 있다구? 이왕 말을 꺼냈으니 그러면, 그 용건이라는 거 한 번 들어 봅시다."

티볼트가 아무리 베로나 제일의 무사라 하더라도, 머큐쇼는 그 건방지고 무례한 태도를 묵과할 수 없었다. 티볼트는 코웃음을 치더니 칼집을 쓱 어루만졌다.

"자네들이 상대해 주겠다면 할 말을 다 하지 못하고 돌아설 일이야 없겠지?"

서로의 화를 돋우는 말들이 오가기 시작하자, 광장에는 때아닌 말다툼을 보러 온 베로나 시민들이 모여들었다.

"머큐쇼, 네놈은 로미오 녀석이랑 단짝이지? 무도회에 네놈이 로미오 녀석을 끌고 와서 우리 가문을 모욕했겠다?"

"천만에! 잘 모르나 본데, 자네 하인놈이 정중하게 청했다네. 싸우고 싶으면 차라리 싸우고 싶다고 하게나. 자! 내 칼을 받을 텐가?"

머큐쇼의 칼이 어느새 칼집으로 향했고, 벤볼리오는 파랗게 질린 얼굴로 그를 말리려고 했다.

"그만두세요. 이렇게 사람이 많이 모인 광장에서 싸우는 건 귀족의 수치라고요. 어디 조용한 곳으로 가서 말로 하십시오."

티볼트의 칼 솜씨를 잘 아는 벤볼리오는 어떻게든 칼을 빼지 않고 일을 끝내고 싶어 했다. 그 때 로미오가 결혼식을 마치고 기쁜 마음으로 광장으로 들어서고 있었다. 그 로미오의 모습을 가장 먼저 발견한 사람은 바로 티볼트였다.

"머큐쇼, 자네하고의 승산 없는 싸움은 그만두겠네. 저기 내가 필요로 하는 주인공이 오고 있거든. 로미오 녀석 말이야."

늘 익살을 부리고 태평스럽게 살아온 머큐쇼였지만, 로미오를 무척이나 소중하게 생각해 온 그였다. 그런데 하필이면 이런 상황에서 로미오가 나타난 것에 대해 머큐쇼는 불평을 하며, 어떻게든 로미오와 티볼트의 결투를 막아야겠다고 생각했다.

"티볼트, 이놈! 나하고는 싸우지 않겠다고? 그만큼 모욕을 주고도 그냥 물러나란 말이야? 로미오가 네 하인의 옷이라도 빼앗아 입었단 말이냐? 어서 칼을 뽑아라!"

그 동안 로미오는 벌써 가까이 다가와서, 머큐쇼의 말을 다 듣고 있었다. 그러나 그는 조금도 화를 내는 빛이 없었다. 그는 이미 줄리엣과 결혼을 한 상태였으므로, 티볼트와도 친척 관계였던 것이다.

"여보게 티볼트, 자네는 참을 수 없는 모욕을 주었지만, 나는 자네를 아껴야 할 까닭이 있기 때문에 그런 무례한 인사는 참겠네. 그리고 머큐쇼는 내 절친한 친구이니, 더 이상 욕하지 말고 좋게 헤어지세."

침착하게 말하는 로미오를 보며 티볼트는 더욱 화를 냈다.

"흥! 이 나쁜 놈! 누굴 놀리는 거냐? 그따위 말로 네놈이 우리에게 준 모욕을 없앨 수 있을 것 같으냐? 긴말은 필요 없으니, 어서 칼이나 뽑아라! 그게 모든 것을 간단하게 해결하는 방법이지."

"흥분하지 말게나. 여기서 맹세하건대, 나는 자네를 모욕한 적이 없어. 오히려 자네를 사랑한다네. 왜냐고 그 까닭을 묻겠지? 여기서 그 까닭을 말할 수 없지만, 자네도 차차 알게 될 걸세. 캐퓰릿이라는 그 이름도 이제는 내 이름만큼이나 소중하니, 그만 진정하게."

로미오의 이야기를 들으며 더욱 화가 난 사람은 머큐쇼였다. 마치 자신이 티볼트에게 굽신거린 것 같은 느낌이 들어서, 더이상 견딜 수가 없었다.

"이봐, 로미오! 사내 녀석이 왜 그렇게 비겁한가? 저따위 놈에게 뭣 때문에 쩔쩔매며 빌고 있느냐고! 티볼트 이놈, 이 쥐새끼 같은 놈아! 어디 한 번 해 보자!"

"머큐쇼, 나를 봐서 참게. 이젠 그를 사랑할 충분한 이유가 있으니까. 나중에 설명할게."

"듣기 싫어. 로미오! 티볼트, 멍하니 서 있지 말고 어서 덤벼!"

티볼트는 로미오와 결판을 내려고 했지만, 이렇게 되고 보니 더 이상 가만히 있을 수가 없었다.

"머큐쇼, 네가 죽고 싶은 모양이구나! 네까짓 놈이 날 어떻게 하겠다고? 흥! 기가 막혀서!"

티볼트가 칼을 빼자 그와 동시에, 머큐쇼도 칼을 뽑아들었다. 구경꾼들과 하인들은 자신들도 모르게 몇 발짝 뒤로 물러섰고, 이들의 싸움에 로미오는 당황하여 어쩔 줄을 모르고 있었다. 서로 원수처럼 칼을 들고 있는 두 사람은 처남과 그의 친구이기에, 누가 쓰러지든지 간에 견딜 수 없었던 것이다.

로미오는 이들을 바라보며 가능한 한 침착한 목소리로, 싸움을 멈출 것을 부탁했다.

"이 베로나 거리에서 싸우지 말라는 영주님의 명령을 기억하지 못하는 건가? 이봐, 티볼트! 그만두게나. 머큐쇼! 제발 그만둬."

로미오는 양쪽을 번갈아 가며 말렸지만, 이미 칼을 빼든 그들은 멈출 생각을 하지 않았다. 두 사람의 칼이 허공에서 마주치기 시작했다. 누가 보기에도 머큐쇼의 칼 솜씨는 티볼트에 미치지 못했다.

"그만두라니까!"

로미오가 필사적으로 외쳤으나, 두 사람은 아랑곳하지 않았다. 벤볼리오도 싸움을 말리고 싶었으나, 이미 시작된 싸움에 속수무책이었다. 잠시 어쩔 줄 몰라하던 로미오가, 맨손으로 두 사람이 싸우는 한복판으로 뛰어들었다. 두 사람이 놀라서 잠시 칼을 거둔 사이, 검술에 능한 티볼트가 칼을 거두는 척하면서 로미오의 겨드랑이 밑으로 머큐쇼의 가슴을 찔렀다.

방심하던 머큐쇼가 가슴에서 붉은 피를 흘리며 쓰러지자, 구경꾼들이 일시에 웅성거렸다. 머큐쇼가 쓰러져서 일어나지 못하자, 티볼트는 재빨리 하인들을 재촉하며 광장에서 모습을 감추었다. 그러자 멀리서 구경하던 사람들이 하나 둘 다가왔다.

로미오의 복수

로미오가 황급히 머큐쇼를 안았지만, 머큐쇼는 깊은 상처를 입었는지 가슴에서 뜨거운 피가 계속 흘러내리고 있었다.

"머큐쇼, 기운을 내게."

"난 이제 죽는군. 내가 무엇 때문에, 너희 두 놈의 집안 싸움에 끼어들어 이렇게 죽어야 하는 거지? 에잇, 빌어먹을 캐퓰릿과 몬테규!"

"이까짓 상처로 죽긴……. 기운을 내게나."

"그래, 대단치 않은 상처지. 그러나 내 목숨을 앗아가기엔 충분하다네. 제길, 그런데 티볼트 놈은 상처 하나 입지 않고 도망치다니……."

로미오는 사랑하는 친구의 체온이 식어가는 것을 느끼며, 가슴이 미어지는 듯했다.

"로미오, 무덤에서 다시 만나세. 그런데 어쩌자고 뛰어들어서, 이 꼴을 만들어 놓았나? 자네가 뛰어들지만 않았어도……."

"머큐쇼, 그저 난 말리려고 했던 것이 그만. 미안하네."

"로미오, 자네를 원망하지 않으니 변명하지 않아도 되네. 벤볼리오! 날 어서 집으로 데려다 주게. 아무래도 정신을 잃을 것 같아. 빨리!"

벤볼리오가 급히 머큐쇼를 부축해서 마차에 태웠고, 이윽고 마차는 사라졌다. 로미오는 광장에 남아서 머큐쇼가 흘린 피를 쳐다보고 있었다. 그토록 절친했던 친구의 피를 보며, 로미오의 가슴속에는 티볼트에 대한 증오심이 타오르기 시작했다.

"줄리엣은 줄리엣이고, 티볼트는 티볼트야! 줄리엣, 나는 그대 때문에 장님이 되어 다정한 가족, 친구를 잃어버렸소. 당신의 미모가 날 얼간이로 만들었고, 용감한 내 성격도 녹여 놓았구려."

로미오가 혼잣말로 중얼거리고 있을 때, 티볼트를 태우고 갔던 마차가 되돌아왔다. 마부 옆자리에 침통한 표정으로 앉아 있던 벤볼리오는, 마차가 멈추자마자 로미오에게 달려왔다.

"형님! 머큐쇼 형님이 죽었습니다. 마차가 집에 닿기도 전에 숨을 거두었어요. 용감한 분이었는데……. 그 늠름하고 용감하던 혼이 엉뚱하게도 이 세상을 떠났네요."

로미오는 아무 대답이 없었다.

'이렇게 어이없이 사람이 죽다니! 티볼트 놈이 있는 한, 앞으로 어떤 일이 또 벌어질지 몰라.'

로미오가 예감한 비극은, 그리 오랜 시간이 걸리지 않았다. 본능적으로 자리를 피했던 티볼트는 골목길로 들어서자 생각이 달라졌다. 그는 또 한 사람, 바로 로미오의 피를 보고 싶어졌던 것이다.

'이왕 시작된 싸움이야, 로미오 놈까지 끝내 버리겠어.'

이미 로미오에게 결투장까지 보냈던 터였기에, 그는 로미오와 결판을 내야만 직성이 풀릴 것 같았다. 그래서 급히 도망가던 도중 하인들을 먼저 돌려보내고, 혼자서 미친 듯이 광장으로 다시 달려왔던 것이다.

"화를 뿜어 내는 듯 피에 굶주린 티볼트 놈이 다시 오는군요."

벤볼리오가 진절머리가 난다는 듯이 몸을 떨고 있을 때, 티볼트는 이미 로미오 앞에 와 있었다. 티볼트의 잔인한 얼굴을 보자, 로미오도 분노가 폭발했다.

"이 놈! 머큐쇼를 죽이고 넌 살아서 돌아다니느냐? 사랑이고 관용이고 다 필요 없다. 더 이상 나도 참을 수가 없어. 자, 이제 내가 머큐쇼의 죽음을 네게 돌려주마. 머큐쇼의 혼이 너와 함께 저승길을 가기 위해 기다리고 있으니 각오해라. 너 아니면 내가, 아니면 둘다 함께라도 따라가야 한다!"

티볼트는 잔인한 미소를 띠며 답했다.

"무슨 말도 안 되는 소리냐! 네놈은 이승에서도 머큐쇼와 다정한 사이였으니, 저승에도 네가 동행하면 되겠구나. 저승까지 따라가거라!"

두 사람의 칼날이 광장 한복판에서 다시 부딪쳤다. 벤볼리오는 그들을 말려야겠다는 생각은 했지만, 용기가 나지 않았다. 칼과 칼이 수 차례 부딪치면서 요란한 소리를 내고 있었다. 아직 흩어지지 않고 있던 사람들이 숨을 죽인 채, 그들의 결투를 지켜보고 있었다.

"아니……."

멍하니 싸움을 구경하고 있던 벤볼리오는, 자기 눈을 의심하지 않을 수 없었다. 로미오의 칼이 점차 티볼트를 위협하며 죄어가고 있었다. 제일의 무사 티볼트는 로미오의 빠른 칼을 받아내느라, 안간힘을 다하고 있었다.

'티볼트 놈은 로미오 형의 적수가 못 되겠어.'

벤볼리오가 이렇게 생각하고 있을 때, 로미오의 칼이 쭉 뻗으면서 티볼트의 가슴을 찔렀다. 티볼트가 쓰러짐과 동시에, 구경꾼들이 놀라 함성을 질렀다. 벤볼리오는 아직 칼을 빼든 채, 정신을 차리지 못하고 서 있는 로미오에게 재빨리 속삭였다.

"형님! 어서 피하세요. 사람들이 웅성거리기 시작했어요."

"피하다니?"

"티볼트가 죽었어요. 멍하니 있으면 어떻게 해요. 영주님한테 잡히면 사형이에요, 사형!"

로미오는 티볼트의 시체를 보며, 순간적으로 줄리엣의 얼굴이 떠올랐다. 사촌 오빠를 잃은 슬픔에 젖어들 사랑하는 줄리엣의 얼굴이.

'아! 이 무슨 운명의 장난이란 말인가!'

로미오의 입에서 짧은 탄식이 흘러나왔다. 로미오는 맥없이 칼을 꽂고, 벤볼리오를 뒤로 하고 무작정 자리를 피했다.

"로미오 형님! 집으로 가면 안 됩니다. 곧 붙잡힐 테니 다른 곳으로 피하세요. 꼭 무사하셔야 해요!"

벤볼리오의 다급한 외침을 듣는 둥 마는 둥, 로미오는 무작정 뛰기 시작했다. 로미오가 막 골목길로 자취를 감춘 순간, 영주가 도착했다는 소리가 들려왔다. 영주는 티볼트가 자기의 친척 머큐쇼를 죽였다는 소식을 듣고 달려오는 길이었다. 그러다 광장에 쓰러져 있는 티볼트를 보고, 또 한 번 놀라서 얼굴이 분노로 벌겋게 달아오르고 있었다.

"도대체 누구냐? 누가 이런 짓을 했단 말이냐? 이런 괘씸한 것들!"

영주가 화가 나서 부르르 떨며 주위의 사람들을 노려보자, 벤볼리오가 한 발 앞으로 나갔다.

"영주님! 제가 이 싸움의 경위를 알고 있습니다. 저기 쓰러져있는 티볼트는 로미오에게 당했고, 각하의 친척인 머큐쇼는 티볼트, 저자가 죽였습니다."

그 때 구경꾼들 틈에 끼어 있던 하인들의 통보로, 몬테규 내외와 캐퓰릿 내외가 달려왔다. 두 집안은 마주 보았지만 서로 아무 말도 하지 않다가, 쓰러져 있는 조카 티볼트를 본 캐퓰릿 부인이 통곡을 하기 시작했다.

"오! 불쌍한 티볼트, 티볼트, 가엾은 것! 세상에 어떻게 이런 일이! 아, 내 사랑하는 조카 티볼트!"

캐퓰릿 부인은 한참 동안 티볼트를 붙들고 울었다. 그리고는 티볼트가 로미오의 칼에 맞았다는 얘기를 듣고 왔기 때문에, 원망과 분노에 찬 눈으로 몬테규 내외를 쏘아보았다. 캐퓰릿 부인은 눈물로 범벅이 된 얼굴로 영주에게 정중하게 인사하며 말했다.

"현명하신 영주님, 이 피를 보십시오. 우리 일가의 피가 이렇게 처참하게 흐르고 있습니다. 티볼트를 이렇게 만든 몬테규 네도 똑같이 그 피값을 치르게 해 주십시오."

"내 알아서 할 테니 부인은 진정하오. 나도 머큐쇼를 잃었으니."

영주의 마지막 말은 부인의 입을 다물게 하기에 충분했다.

"벤볼리오, 너는 이 사건을 처음부터 목격했다고 했으니, 치우침 없이 네가 본 대로 얘기해 보아라."

"네, 조금의 거짓도 없이 아뢰겠습니다. 로미오 형님은 티볼트와 머큐쇼 형님이 싸우는 것을 보고 말리고 있었습니다. 무릎을 꿇고 애원하며 말렸지만, 티볼트는 들은 척도 하지 않았습니다. 로미오 형님이 두 사람이 더 이상 싸우지 못하게 가운데로 끼어들자, 잠시 방심한 틈을 타서 티볼트가 형님의 겨드랑이 사이로 머큐쇼 형님을 찔렀습니다. 머큐쇼 형님이 쓰러지자 티볼트는 달아났지만, 무엇 때문인지 다시 돌아와서는 로미오 형님과 싸우기 시작했습니다. 로미오 형님도 머큐쇼 형님이 죽었다는 소식을 듣고는 복수심에 불타서 그 싸움을 받아들였는데, 말릴 틈도 없이 싸우다 그만 로미오 형님의 칼이 티볼트의 가슴을 찔렀습니다. 그리고 형님은 달아나버렸습니다. 지금까지 말씀드린 것은 조금도 거짓이 없습니다. 거짓이 있다면, 제 목숨을 내놓겠습니다.”

벤볼리오의 말이 끝나자마자 캐퓰릿 부인이 무섭게 대들기 시작했다.

“영주님, 벤볼리오는 몬테규 집안 사람입니다. 전부 자기에게 유리하게만 아뢰는 것입니다. 제발 공정하게 판단해 주세요. 로미오를 살려둘 수는 없습니다.”

영주는 캐퓰릿 부인에게 화를 내며 말했다.

“로미오는 티볼트를 죽였고, 티볼트는 머큐쇼를 죽였소. 티볼트가 죽었기 때문에 로미오가 죽어야 한다면, 머큐쇼의 죽음은 누구에게 죄를 물어야 하오!”

“영주님, 로미오는 머큐쇼의 친구였습니다. 이 일은 머큐쇼의 죽음으로 시작된 것이니, 티볼트가 죽었다고 로미오가 처벌을 받는 것은 부당합니다. 로미오가 티볼트를 죽인 것은 사실이지만, 법이 할 일을 대신 한 것이니 부디 용서해 주십시오.”

몬테규가 고개를 조아리며 말했으나, 영주는 조금의 흔들림도 없이 대답했다.

“몬테규 공, 그대 아들이 법이 할 일을 대신 했다고는 하나, 사적인 보복 역시 죄요. 그러니 로미오에게 살인죄를 적용할 수밖에 없소. 그러나 그 죄를 감해서 베로나에서 추방할 것을 명하오."

몬테규는 무슨 말인가를 하려고 했으나, 영주의 기세가 워낙 엄하여 아무런 말도 하지 않았다. 그나마 사형을 면한 것으로 다행이라는 생각이 들었던 것이다.

운명의 장난

성당에서 돌아온 줄리엣은 줄곧 행복감에 젖어 있었다. 오늘 밤 로미오를 만날 생각을 하니 가슴이 설레기도 하고, 두렵고 떨리기도 했지만, 그 기다림이 한없이 기쁘기만 했다. 어서 해가 지고 밤이 오기만을 기다릴 정도였다.

"해야, 어서 어서 서쪽으로 가렴. 그래서 온 천지가 까맣게 물들었으면."

그러나 여전히 해는 중천에 떠 있어, 줄리엣에게는 하루가 너무 지루하게 지나는 듯 느껴졌다. 이윽고 해가 완전히 기울자, 누군가 방문을 노크하며 들어왔다. 바로 줄사다리를 든 창백한 얼굴의 유모였다.

"아가씨!"

"유모, 얼굴이 왜 그래? 무슨 일이야, 무슨 일이 있는 거야?"

유모는 떨리는 목소리로 겨우 말을 잇고 있었다.

"글쎄, 이 악마 같은 줄사다리를……."

줄리엣은 갑자기 불길한 생각이 들었다. 로미오를 방으로 인도해 줄 줄사다리를, 악마 같다고 하는 유모의 말도 이상하게 느껴졌다.

"유모! 얼른 말을 해 봐. 무슨 일인데?"

"아, 세상에! 그분이 죽었다우. 죽었어. 아이고, 세상에! 그분이 살해당했어요. 세상을 떠났다고요!"

"유모! 도대체 무슨……. 설마, 하늘이 그렇게 무심하시겠어!"

"아가씨, 하늘은 할 수 없어도 로미오는 할 수 있었어요. 그렇게 될 줄 누가 생각이나 했겠수? 로미오가 글쎄! 아, 생각만 해도 끔찍해요."

줄리엣은 유모의 말을 듣자, 얼굴이 창백하게 굳어지고 온몸이 떨리기 시작했다.

'로미오가 죽었다고?'

조금 전까지만 해도 그토록 찬란하게 보였던 세상이, 이제 빛이라고는 없는 어둡고 음울한 세상으로 바뀐 듯했다.

"오! 로미오 님. 로미오 님이 자살이라도 한 거야? 그이가 죽었느냐고! 제발 계속 그러지 말고 내 질문에 바로 대답 좀 해 봐."

그러나 유모는 줄리엣의 말이 들리지 않는 듯, 자신의 생각에 빠져 계속 떠들고 있었다.

"아! 불쌍한 티볼트 님! 가엾게도 온통 피투성이에 잿빛같이 파리한 모습이었어요. 기절할 정도였지요. 그 용감하고 씩씩한 도련님이 살해를 당하다니! 이 늙은이가 당신의 죽음을 다 보다니!"

유모의 말에 줄리엣은 깜짝 놀랐다.

"유모, 뭐라고 했어?"

"티볼트 님이 돌아가셨다고요."

"아니, 그게 무슨 말이야? 로미오 님이 죽고, 티볼트 오빠는 살해되다니! 내가 누구보다 사랑하는 오빠와 로미오 님이 모두 죽다니. 세상에, 하늘도 무심하시지."

"티볼트는 죽었고, 로미오는 추방, 아니, 티볼트를 살해한 로미오는 추방되었어요."

"로미오 님이 오빠를 죽였다고? 세상에, 그럴 리가! 내 남편이 오빠를 죽이다니. 로미오 님의 마음속 어느 곳에 그런 악마가 숨어 있었단 말이야? 그처럼 순결하고 아름다운 분이. 정말 세상은 믿지 못할 일 투성이야!"

유모는 애처로운 듯 말을 이었다.

"아가씨, 세상 사내들이란 다 그렇고 그런 거예요. 모두들 거짓말로 맹세하고 그 맹세도 지키지 않고. 다 사기꾼들이라고요. 이런 슬픔과 설움으로 내가 늙는다우. 그 망할 몬테규 놈 빌어먹어라."

"유모! 그런 악담을 하는 유모나 빌어먹어. 그분한테 함부로 그 따위 욕설을 지껄이다니 용서할 수 없어. 그분이야말로 세상 남자들 중에서 가장 훌륭한 분이야. 내가 어쩌자고 한순간이라도 그분을 욕했을까?"

유모는 어이가 없다는 듯 줄리엣을 바라보았다.

"아가씨, 지금 오빠를 죽인 사람을 칭찬하는 거예요?"

"무슨 일이 있었건, 설사 하늘이 무너지는 일이 있어도 남편을 탓할 순 없어. 겨우 세 시간 전에 결혼했는데……. 그렇지만 무엇 때문에 오빠를 죽였나요? 아냐, 틀림없이 이유가 있었을 거야. 그랬을 거야. 로미오 님이 칼을 뽑지 않았다면, 티볼트 오빠가 로미오 님을 죽였을 거야. 틀림없어. 오빠가 로미오 님을 죽이려고 했을 거야. 그래서 벌을 받아서 오빠가 죽은 거야. 그렇지 않고서야 베로나 제일의 무사인 오빠가 죽을 이유가 없잖아. 로미오 님이 추방을 당했다니, 오늘 겨우 결혼했는데, 난 어쩌면 좋아. 어떻게 하지? 난 신방도 차리지 못하고, 과부로 죽을 수밖에 없겠어."

눈물을 흘리는 줄리엣을 보며 유모는 측은하고, 안타까운 마음이 들었다.

"아가씨, 너무 슬퍼하지 말아요. 로미오 님은 아직 베로나를 떠나지 않았어요.”

“그 분이 아직 베로나에 있다고? 그게 정말이야?”

눈물을 흘리던 줄리엣의 얼굴에 반가운 빛이 떠올랐다.

“네. 아가씨를 두고 어떻게 떠날 수 있었겠어요? 제가 그분이 계신 곳을 알고 있어요. 로렌스 신부님의 성당에 숨어 있으니 제가 찾아갈게요.”

“유모, 제발 성당에 가서 그이를 만나 봐. 그 분에게 내 반지를 드리고, 베로나를 떠나기 전에 작별 인사를 하러 오라고 전해 줘. 내가 기다리고 있다고. 응?”

그녀는 손가락에 끼고 있던 금반지를 빼서, 유모에게 건네주었다. 유모가 방을 나가자, 줄리엣은 한꺼번에 닥쳐온 충격으로 침대에 쓰러졌다. 그리고는 어깨를 들먹이며 울기 시작했다.

추방당한 로미오

로미오는 신부의 책장 뒤에 숨어 있었다.

‘밖에서는 무슨 일이 일어나고 있을까? 아버지 어머니도 내 소식을 들었겠지? 살인자는 이유를 막론하고 사형이니, 사형 판결이 났겠지? 아, 생각만 해도 마음이 조여 오는군. 사랑하는 줄리엣을 두고 어떻게……. 아니야, 오늘 밤에는 그녀에게 가야겠어. 오늘 밤이 지나면 영원히 줄리엣의 얼굴을 보지 못할지도 모르는 일이잖아.’

로미오는 줄리엣에 대한 그리움과, 자신의 앞날에 대한 두려움으로 어쩔 줄을 모르고 있었다.

“로미오, 나오너라.”

서재에서 신부의 목소리가 들려왔다.

"어서 나오렴."

신부는 영주의 판결을 들으려고 일부러 밖에 나갔다가 오는 길이었다.

"신부님, 무슨 소식인가요? 아시는 대로 다 말씀해 주십시오."

신부는 측은하다는 듯이,

"로미오, 아마도 너에게 시련이 닥쳐올 모양이다. 그러나 오히려 그 시련을 고마워해야 할 것 같구나."

하고 말했다.

"시련이라니요? 도대체 무슨 말씀입니까?"

"죄가 감해졌다. 너에게 관대한 선고가 내려졌어."

"그럼 사형이 아니란 말씀이세요?"

"그래. 사형은 면했단다. 그러나 결코 가벼운 벌은 아니야."

"사형만 아니라면 어떠한 벌도 달게 받을 것입니다."

"아마, 쉽지는 않을 거다. 줄리엣을 만나기도 어려울 것이고. 넌 이 베로나에서 추방당했다."

"추방이라고요?"

"오늘 성문이 닫히기 전에 이 곳 베로나를 떠나야 한다. 만약 그 때까지 떠나지 않고 있다가 발각되면, 넌 사형될 거야. 이것이 영주님이 내린 판결이야."

"그렇다면 이대로 떠나야 한다고요? 줄리엣도 보지 못한 채?"

"할 수 없는 일이 아니겠니?"

"하지만 신부님, 어떤 일이 있더라도 오늘 밤 줄리엣을 만나겠습니다. 오빠의 죽음으로 줄리엣이 나를 거부하지만 않는다면 상관 없습니다. 아니, 줄리엣은 절대 저를 버리지 않을 겁니다."

"고집 부리지 말고 꾹 참아라. 세상은 넓고도 크니 참고 견디다 보면 좋은 일이 있을 거다. 그 때까지 하느님에게 모든 것을 맡기고 기다리거라."

"이 곳을 떠나서 긴 세월을 슬픔 속에 살아야 한단 말씀인가요? 그렇게 할 수는 없어요. 베로나 밖에서 제가 무엇을 할 수 있겠어요? 이 곳에서 추방되는 건 제게는 사형보다 더한 벌이에요."

"영주님이 특별히 배려해서 죄를 감해주신 거야. 그 큰 은혜를 저버리려고 하다니!"

"그건 고문이지 은혜가 아니에요. 줄리엣이 사는 이 곳을 떠나서 살아야 한다는 것은, 제게는 지옥에서 살라는 소리와도 같습니다. 그런데도 신부님은 추방이 죽음이 아니라고 생각하시나요?"

"어리석구나. 왜 하나만 알고 둘은 모르느냐? 왜 추방이 은혜인지 알려 주마. 추방되더라도 위안이 될 수 있도록, 그리고 어려움 속에서도 달콤함을 찾을 수 있도록 말이다."

"또 추방 이야기인가요? 더 이상 말씀하지 마세요. 그 얘기를 들어서 베로나를 옮길 수 있고, 영주님의 추방 선고를 뒤집을 수 있다면 기꺼이 배우겠습니다. 그렇지 않다면 아예 얘기도 꺼내지 마세요. 신부님도 나같이 젊고, 줄리엣 같은 애인과 결혼한 지 한 시간만에 티볼트를 죽이고, 나같이 사랑에 넋이 나간 상태에서 추방을 당해 보시라고요. 어떻게 그렇게 말씀하실 수 있겠어요?"

"왜 그렇게 흥분만 하느냐?"

"신부님이 제 마음을 아시겠어요? 이 상황에서 어떻게 제가 침착할 수 있겠어요? 신부님이 제 경우를 당하셨다면, 그저 무덤의 깊이만 재고 계셨을 거라고요."

그 때 문을 두드리는 소리가 들려왔다.

"어서 숨어라! 빨리 저쪽으로!"

신부는 로미오를 서재로 가게 했다. 그리고 로미오가 보이지 않는 것을 확인하고 나서 문으로 걸어갔다.

"누구시오? 누가 이렇게 세차게 문을 두드리십니까?"

"문 좀 열어 주세요. 줄리엣 아가씨의 심부름을 왔어요."

유모의 다급한 목소리가 들려왔다. 유모는 안으로 들어서자마자 방 안을 빙 둘러보고는,

"신부님, 우리 아가씨의 서방님이신 로미오 님은 어디 계시죠?"
하고 물었다.

"저쪽에 있네."

숨어 있던 로미오가 유모의 목소리를 듣고 모습을 드러냈다. 그는 유모를 보자, 마치 줄리엣을 만난 것처럼 기뻐하며 눈물을 흘렸다.

"어쩜, 서방님도 줄리엣 아가씨랑 꼭 같군요."

"유모, 줄리엣이 나를 원망하고 있지는 않소? 잔인한 살인자라고 미워하지는 않는지? 이 불행한 사랑 때문에, 틀림없이 침울해하고 있겠지?"

"줄리엣 아가씨는 아무 말도 않고, 그저 눈물만 흘리고 있어요. 침대에 쓰러졌다가는 벌떡 일어나기도 하고, 우시다가는 로미오 서방님을 부르시고, 또 우시다가 티볼트 님을 부르시고, 그러면서 또 쓰러지곤 해요."

"아, 불쌍한 줄리엣! 두 갈래 길에서 얼마나 갈등과 고민이 심할까?"
유모는 서둘러 줄리엣이 준 반지를 로미오의 손에 끼워 주었다.

"이건 아가씨가 드리는 반지예요. 아가씨가 꼭 마지막 작별 인사를 하러 오라고 당부하셨어요. 제가 준비를 해 놓을 테니 꼭 오세요."

이 말을 듣자 로미오의 얼굴에 기쁨의 미소가 피어났다.

"그럼, 줄리엣은 나를 원망하고 있지 않단 말이오? 가겠소. 틀림없이

가겠소. 그렇지 않아도 찾아갈 생각이었다오. 날 꾸짖을 준비도 하고 있으라고 전해 주오."

"벌써 해가 졌어요. 곧 어두워질 테니 지체하지 마시고 후원으로 오세요. 제가 줄사다리를 내려놓을게요."

유모는 곧 서재를 빠져 나갔다.

"로미오, 어서 가서 줄리엣을 위로해 주거라. 그러나 줄리엣을 만나고 나서는 빨리 나와야 한다. 알았느냐? 성문이 닫힐 때까지 있다가는, 만투아로 떠날 수 없게 되니 명심해야 한다. 만투아에 가 있으면 내가 때를 잘 봐서 너희들의 결혼을 발표하고, 두 집안도 서로 화해하게 할 테니. 그러고 나서 영주님의 용서를 얻어 너를 부르마. 그러니 잘 참고 기다려야 한다. 알겠느냐?"

새벽녘의 이별

유모가 로미오에게 반지를 전해 주고 신부의 서재를 막 나설 무렵, 어둠이 깃든 캐퓰릿 가의 응접실에는 한 방문객이 들어섰다. 바로 패리스 백작이었다. 그는 줄리엣에게서 답이 오기를 이제나저제나 기다리다 지쳐 있었다.

"백작, 아시다시피 지금 티볼트의 죽음 때문에 딸애에게 권해 볼 틈이 없구려. 게다가 줄리엣이 티볼트와 무척이나 가깝게 지냈지 않소. 저토록 슬픔에 잠겨 있으니, 어떻게 말을 붙여 볼 도리가 없군요."

"참, 유감입니다. 그런 불행한 일을 당하셨으니 얼마나 슬프시겠습니까? 애타는 마음에 참을 수가 없어서 오긴 했지만, 청혼을 드릴 때가 아니지요. 부디, 제 마음을 헤아려 무례를 용서하십시오."

"이해하고 말고요. 백작의 심정을 왜 이해하지 못하겠습니까?"

"감사합니다. 그 말씀을 들으니 안심이 됩니다. 마음도 편치 않으실 텐데, 저까지 와서 정신없게 해 드려서 죄송합니다. 그럼, 이만 실례하겠습니다."

인사를 하고 백작이 일어서는데, 캐퓰릿이 다시 말을 붙이기 시작했다.

"패리스 백작! 걱정마시오. 결정했소. 어떤 일이 있어도 줄리엣을 백작에게 드릴 테니. 줄리엣도 아버지의 말을 거역하진 않을 겁니다. 나도 한번 말한 것은 목숨을 걸고라도 실행하는 사람이니, 이 자리에서 아주 결정을 합시다."

패리스 백작은 행복에 겨운 미소를 짓고 있었다.

"줄리엣은 내가 책임질 테니, 아예 이 자리에서 결혼 날짜도 잡읍시다. 돌아오는 수요일에 식을 올리면 어떻겠소?"

갑작스런 제안에 패리스 백작은 당황스럽기도 하고 놀라기도 했지만, 캐퓰릿의 표정은 진지했다.

"가만, 오늘이 무슨 요일이지요?"

"월요일입니다."

패리스 백작이 대답했다.

"월요일이라, 그럼 수요일은 내일 모레군요. 그건 너무 날짜가 급한 것 같으니, 그럼 목요일로 하는 게 어떻겠소? 목요일에 식을 올립시다, 백작."

"저야 상관이 없지만, 아무래도 줄리엣 양의 생각을 들어 봐야 하지 않을까 하는 생각이 드는데……."

"줄리엣에게 승낙받는 건 제가 알아서 하겠습니다. 부인, 백작께서도 목요일에 결혼하는 걸 찬성하셨으니, 줄리엣에게 이 기쁜 소식을 알려주시구려."

캐퓰릿은 혼자 신이 나서 계속 말을 이었다.

"결혼식은 간소하게 합시다. 티볼트가 죽자마자 성대한 결혼식을 올리면, 다른 사람의 이목에도 좋지 않을 것 같으니 말이오. 그러니 가까운 분들만 부르지요."

"모두 캐퓰릿 공의 뜻에 맡기겠습니다. 저야 그저, 목요일만 기다리고 있겠습니다."

패리스 백작은 정중한 모습으로 인사를 하고 응접실을 나갔다. 패리스 백작이 나가자, 캐퓰릿 부인은 한참동안 참았던 말을 하기 시작했다.

"아니, 줄리엣의 얘기는 듣지도 않고서, 게다가 그렇게 빨리 하는 건 좀……."

"줄리엣은 내가 책임진다고 하지 않았소. 그리고 이왕 할 결혼 아니오. 오늘은 때가 좋지 않으니, 내일 날이 밝거든 줄리엣에게도 얘기하시오."

캐퓰릿은 일어나서 응접실의 불을 끄고는 방으로 들어갔다.

그 때 로미오는 줄사다리를 타고, 불꺼진 줄리엣의 방으로 올라가고 있었다. 로미오가 가뿐하게 창틀을 넘어 방 안으로 들어서자, 줄리엣은 행복과 두려움으로 제대로 숨조차 쉴 수 없을 지경이었다.

"줄리엣."

로미오가 속삭였다.

"로미오 님!"

이렇게 두 사람은 만나 사랑을 나누었다.

이튿날 동녘 하늘이 훤해질 무렵, 로미오는 화들짝 놀라 침대에서 몸을 일으켰다.

"벌써 가시려고요? 날이 밝으려면 아직 멀었는데. 저 소리는 아침을 알리는 종달새 소리가 아니라, 밤마다 노래 부르는 소쩍새 소리예요."

"아침을 알리는 종달새 소리라오. 저기 봐요. 즐거운 아침 해가 안개 자욱한 산꼭대기에서, 얼굴을 내밀려고 준비하고 있지 않소. 여길 떠나 살든지 그냥 있다가 죽든지 할 수밖에 없소."

"저기 저건 햇빛이 아니에요. 밤에 보이는 유성인가 봐요. 아마, 당신이 만투아로 갈 길을 비춰 줄 거예요. 그러니 조금만 더 계세요. 벌써 갈 필요는 없잖아요."

"내가 체포되어 죽더라도, 당신의 뜻이라면 난 만족하오. 맞아, 저 빛도 달님의 빛이고, 저 소리도 종달새 소리가 아니오. 사실, 나도 이대로 있고 싶소. 당신 소원이라면, 여기 있다가 죽어도 아무 원이 없소."

"안 돼요. 당신이 죽는다니 당치도 않아요. 저건 아침을 알리는 종달새 소리예요. 어서 만투아로 가세요. 날이 점점 밝아오고 있어요. 조금 있으면 해가 떠오를 테니, 잡히기 전에 어서 가세요."

"아, 비참한 우리의 운명. 날은 점점 밝아오는데, 우리들 사이에는 짙은 어둠만 짙게 깔리는구려."

운명의 신은 그들이 계속해서 얘기를 할 수 있도록 하지 않았다.

"아가씨, 아가씨!"

당황한 유모의 목소리가 문 두드리는 소리와 함께 들려왔다.

"유모, 왜 그래?"

놀란 줄리엣이 재빨리 대답했다.

"빨리요. 빨리 서두르세요. 지금 어머님께서 방으로 올라오고 계세요. 서두르지 않으면 들켜요. 빨리 서두르세요."

"어머니께서 왜?"

"그건 모르겠어요. 빨리요, 아가씨! 로미오 서방님, 어서 가세요. 몸 조심하세요."

유모는 문 밖에서 로미오에게 안부 인사를 하고, 급히 층계를 내려갔다.

"줄리엣!"

어느 새 재빨리 옷을 챙겨 입은 로미오가, 줄리엣을 안타깝게 불렀다. 줄리엣의 눈에 눈물이 가득 고여 있었다.

"안녕! 부디 몸조심하세요."

줄리엣은 목이 메어 더 이상 말을 이을 수가 없었다. 로미오는 창틀 위로 올라갔다.

"줄리엣, 만투아에 가 있더라도 그리 멀지 않으니 소식 전하겠소."

"그래요. 꼭 소식 전해 주세요."

"안녕, 다시 만날 때까지. 다시 만나고 나면 이 괴로운 이별은, 아름다운 추억으로 남을 것이오."

로미오는 재빨리 줄사다리를 타고 내려갔다. 줄리엣은 손을 흔들며 로미오를 바라보았으나, 눈물이 앞을 가려 그 모습이 흐릿해졌다. 이윽고 사다리를 다 내려간 로미오는, 뒤돌아서서 그녀에게 손을 흔들었다.

'이것이 마지막이 될지도 모른다.'

이렇게 생각하면서 줄리엣은 로미오를 똑똑히 보려고 애썼으나, 그럴수록 눈물이 더 흘렀다.

부모를 거역하다

"줄리엣! 일어났니?"

문을 두드리는 소리와 함께 어머니의 목소리가 들려왔다. 줄리엣은 재빨리 사다리를 걷어올린 다음, 둘둘 말아서 침대 밑에 감추었다. 그리고 옷매무새를 만지며 심호흡을 하고는 문을 향해 걸어갔다.

"얘야, 좀 어떠니?"

"기분이 좀 좋지 않아요."

"언제까지 오빠의 죽음을 슬퍼하고 있을래? 이젠 그만 해라. 울어야 소용 없는 일인걸. 적당히 슬퍼하는 건 깊은 애정의 표시라지만, 너무 지나치게 슬퍼하는 것은 생각이 모자라서 그런 거란다."

"그래도 몹시 슬퍼서 그런 것이니 그냥 울게 내버려 두세요."

부인은 그녀의 눈물자국을 닦아 주며 말했다.

"그래, 줄리엣. 어미가 왜 네 마음을 모르겠니? 네 마음이 얼마나 아팠을까? 그래도 이제 그만 하렴. 네게 좋은 소식이 있단다. 아마, 이 소식을 들으면 네 슬픔도 다 가실 거야."

"아무리 기쁜 소식이라도, 나를 이 슬픔에서 건져 주지는 못할 거예요."

"아마 네 오빠를 죽인 저 불한당 같은 로미오는, 멀쩡히 살아 있어서 네가 더 슬프고 분한 것 같구나. 이 엄마는 그것 때문에 더 속이 상한단다."

'어머니는 남의 속도 모르면서…….'

줄리엣은 더욱 크게 울부짖었다. 자신이 가장 사랑하는 어머니 입에서 로미오를 원망하는 소리를 들으니, 설움이 복받쳐 눈물을 주체할 수가 없었던 것이다.

"얘야, 진정해라. 로미오는 추방당해도 만투아에 있을 테니, 그리 멀리 있지 않단다. 놈에게 비밀리에 독약이라도 먹여서, 티볼트의 뒤를 따라가게 할 테니 이제 눈물을 거두렴."

"네?"

줄리엣이 놀란 눈을 동그랗게 뜨고 어머니를 바라보았다. 줄리엣이 울음을 그치자, 어머니는 한 번 더 다짐하듯이 말을 이었다.

"꼭 그렇게 할 테니, 넌 아무 걱정하지 말아라."

'이 일을 어쩌면 좋지? 무슨 수를 써서라도 막아야 할 텐데. 그래, 독약을 내가 직접 만들어야 해. 독약이 아닌 것을 독약인 것처럼.'

줄리엣은 애써 기쁜 척하며 대답했다.

"어머니, 정말이세요? 그럼, 독약을 가지고 갈 사람을 찾으면, 로미오가 받자마자 이내 잠들어 버릴 독약은 제가 만들겠어요."

"그래, 방법은 네가 알아 봐라. 가져갈 사람은 내가 찾으마. 그건 그렇고, 네게 기쁜 소식이 있단다."

"이렇게 슬픈 상황에서 기쁜 일이 뭐가 있어요? 빨리 말해 주세요."

"글쎄, 네 아버님은 정말 자상하신 분이구나. 나는 생각지도 못했는데, 아버님께서 네 슬픔을 덜어 주시려고 기쁜 날을 잡으셨구나. 돌아오는 목요일에 말이다, 그 날이 네 인생에서 가장 의미있는 날이 될 거야."

"무슨 말씀이세요? 가장 의미 있는 날이라니요?"

"결혼 말이다. 다음 목요일 아침 일찍, 패리스 백작이 성당에서 널 신부로 맞이하게 될 거야."

순간 줄리엣의 얼굴에 핏기가 사라졌다. 어머니는 딸의 얼굴이 파랗게 질린 것이, 너무 놀라서 일어난 현상이라고 생각했다. 그러나 어머니가 다른 말을 채 시작하기도 전에, 줄리엣의 얼굴은 굳어진 채 어두운 목소리로 말했다.

"어머니, 전 그곳에서 그 분과 절대 결혼하지 않을 거예요. 왜 그렇게 서두르시는 거예요? 남편될 사람이 구애하기도 전에 결혼을 하나요? 전 아직 결혼하지 않겠어요. 그 분과 한 마디 얘기도 나눠 본 적이 없는데, 갑자기 결혼이라니, 그런 말도 안 되는 말씀이 어디 있어요? 패리스 백작과 결혼할 바에야, 차라리 원수 로미오와 결혼하겠어요."

캐퓰릿 부인은 어이가 없어 줄리엣을 멍하니 바라보고 있었다. 자신의 딸이 이런 반응을 보이리라고는 상상도 못 했기 때문이었다. 다만 부인은 딸을 어떻게 달래야 하는지 몰라서, 그저 멍하니 보고 있을 뿐이었다. 그 때 이미 캐퓰릿이 층계를 올라오고 있었다.

"마침 아버지가 오시는구나. 아버지께 여쭤 봐라. 아버지는 어떻게 생각하고 계시는지."

곧이어 캐퓰릿과 유모가 문 안으로 들어섰다.

"그래, 얘야. 어머니에게 기쁜 소식은 들었겠지?"

줄리엣은 말없이 아버지를 바라보고 있었다.

"지금 막 얘기했어요. 그런데 얘가 고맙기는 해도, 죽어도 싫다고 하는군요."

"아니, 그게 무슨 말이요? 아비가 훌륭한 신랑감을 마련해 줬는데, 왜 싫다고 하는 거야?"

캐퓰릿 부인이 대신 답하자, 캐퓰릿은 안색이 붉으락푸르락 해져서 줄리엣을 바라보았다.

"그 말이 사실이냐? 패리스 백작이 뭐가 부족해서 그리 고집을 부리는 거냐?"

"아버지께서 저를 위하시고, 잘 되게 하려고 생각해 주시는 건 정말 감사드려요. 하지만 저는 백작에게 시집가고 싶지 않아요. 진심이에요."

"이런, 이런 고얀! 못난 자식 같으니. 정 싫다면 억지로 끌고라도 갈테다. 그래도 안 가겠다고 버틸 거냐? 만일 그래도 시집을 안 가겠다면 당장 이 집에서 나가거라. 너 같은 고집불통에다, 부모 생각이라곤 조금도 하지 않는 딸은 필요 없다. 어서 썩 나가지 못하겠느냐?"

줄리엣이 자신의 뜻을 따라 줄 생각을 하지 않자, 캐퓰릿은 화가 나서 마구 욕설을 퍼부었다. 줄리엣은 마침내 아버지 앞에 무릎을 꿇었다.

"아버지, 이렇게 빌게요. 제발 참으시고 제 말 좀 들어 보세요."

"들을 필요 없다. 버릇없고 못된 놈 같으니! 분명히 말해 두는데, 목요일에 교회로 가든가, 그게 싫다면 다시는 아비 앞에 나타나지 마라. 하느님께서 자식을 하나만 준 것이 다행이지. 아니, 이제 보니 하나도 너무 많아. 딸년 때문에 이렇게 고생을 하다니!"

캐퓰릿은 좀처럼 화를 가라앉히지 못하고, 시간이 지날수록 더 화가 치미는 듯했다.

"여보! 진정하세요."

옆에 있던 부인이 그를 진정시키려고 했다.

"가문 좋고, 사람 좋고, 재산도 있는 패리스 백작이 왜 싫다는 건지 정말 알 수가 없구나. 늘 딸년 혼사 때문에 걱정해 왔는데, 바보 같은 것이 자기 분에 넘치는 복인 줄도 모르고, 징징거리며 싫다는 둥 말대꾸를 하다니. 그래, 결혼하지 않겠다면 네 맘대로 나가서 살아라! 이 집에서 같이 살 수는 없다. 곰곰이 잘 생각해 보고 내 말을 듣지 않으려거든, 나가서 목을 매건 굶어 죽건 맘대로 하거라. 나도 너를 자식으로 여기지 않을 테니까!"

캐퓰릿은 더 이상 말하고 싶지도 않다는 듯 화를 내며 방을 나갔다. 줄리엣은 서러워서 침대에 쓰러져 목놓아 울기 시작했다. 부모를 거역한다는 것도 괴로운 일이고, 패리스 백작과 결혼한다는 것 역시 너무 고통스러운 일이었다.

"패리스 백작이 어디가 어때서 그러니? 잘 생각해 보려무나. 줄리엣,

정녕 네가 생각을 바꿀 수 없다면, 나도 아버지 말씀을 거역하는 너를 내 자식이라고 생각할 수가 없구나.”

캐퓰릿 부인은 들먹거리는 줄리엣의 어깨를 내려다보다가, 어쩔 수 없다는 듯 그 방을 나갔다. 한참을 침대에 엎드려서 울던 줄리엣의 머릿속에는 로렌스 신부님이 떠올랐다.

‘그분이라면, 신부님이라면, 내 마음을 이해해 주실 거야. 그리고 어떻게 해야 하는지도 알려 주실 거야.’

줄리엣은 로미오와 자신을 하느님 앞에 맺어 준 로렌스 신부님을 생각해 내고는 유모를 불렀다.

“유모, 얼른 아래층에 내려가서 부모님께 전해 줘. 내가 부모님의 마음을 잠시나마 아프게 한 걸 후회하고 있다고. 그래서 지금 곧, 로렌스 신부님께 회개하러 간다고 말이야. 하느님께 기도로 용서를 받고 오겠다고.”

“아가씨! 생각 잘 하셨어요. 역시 아가씬 착해요. 마님께 이 말씀을 전해 드리면 무척이나 기뻐하실 거예요.”

유모는 정말로 기뻐하며 총총히 방을 나섰다.

제3장

로렌스 신부의 묘책

줄리엣이 퉁퉁 부은 눈으로 로렌스 신부를 찾고 있을 무렵, 로렌스 신부는 기쁨으로 들뜬 패리스 백작과 얘기를 나누고 있었다.

“목요일이라고요? 꽤 급하군요?”

“사정이 그렇게 되었습니다. 장인 어른이 서두르시는데, 나도 미룰

만한 이유가 있는 것도 아니라서."

로렌스 신부의 얼굴이 어두워지고 있었다.

"신부는 어떤가요? 아직 신부의 마음을 잘 모르고 있다고 하셔서."

"티볼트의 죽음으로 너무 슬퍼하고 있어서, 결혼 이야기는 꺼내 보지도 못했습니다. 하지만 장인 어른은 딸이 그렇게 슬픔에 빠져 있는 게 위험하다고 생각하셔서 우리의 결혼을 서두르신 거죠. 그 생각에 빠져 있으면 계속 슬플 수밖에 없지만, 짝이 있으면 아무래도 그 슬픔이 거두어질 거라고 생각하고서요. 아마도 캐퓰릿 공은 빨리 줄리엣의 슬픔이 가시게 하고 싶은 모양입니다."

로렌스 신부는 패리스 백작의 말을 들으면서 마음이 더 복잡해졌다.

'아, 이 일을 어찌하면 좋단 말인가! 난 이 결혼을 미루어야 할 이유를 알고 있지 않은가. 참 난감하군!'

로렌스 신부는 누구보다 줄리엣의 슬픔을 잘 이해할 수 있었기에, 줄리엣에 대한 걱정이 앞섰다.

"그럼, 목요일에 잘 부탁드리겠습니다."

패리스 백작이 인사를 하며 일어서자, 로렌스 신부는 배웅하러 화단까지 걸어나왔다. 두 사람이 막 모퉁이를 돌아섰을 때, 저 쪽에서 때마침 줄리엣이 걸어오고 있었다.

"저기 줄리엣이 오는군요."

로렌스 신부가 줄리엣을 가리키며 패리스 백작을 바라보았다. 백작은 황홀한 듯 그녀를 바라보았으나, 줄리엣은 패리스 백작은 본 척도 하지 않고 로렌스 신부에게만 인사를 했다. 신부는 이 행동으로 줄리엣의 상태를 다 알아채고 있었다.

"아, 줄리엣, 내 아내여! 이렇게 만나게 되니 하늘에 감사의 기도를 드려야 할 것 같소."

줄리엣의 시선을 기다리다 못한 패리스가 먼저 입을 열자, 줄리엣은 마지못해 패리스 백작을 바라보았다.

"글쎄요. 제가 백작님의 아내가 될지는 모르는 일이라서."

"아마 목요일엔 그렇게 될 겁니다. 그런데 신부님께 참회하러 오셨소?"

"그 대답은 신부님께 하는 게 맞는 것 같군요."

"아, 그렇다면 실례했습니다. 그렇지만, 줄리엣 아가씨. 참회하실 때 저를 사랑한다는 것을 숨기지 말고 얘기하십시오."

"고백을 하더라도, 백작님이 안 계신 곳에서 하는 것이 더 의미가 있지 않겠어요?"

"아, 그렇군요. 그나저나 슬픔으로 얼굴이 많이 상하셨구려. 눈물로 얼굴이 얼룩져 있군요."

"모두 눈물 탓은 아니에요. 눈물로 상하기 전에도 여간 못생긴 얼굴이 아니었으니까요."

"줄리엣, 왜 그런 말씀을 하십니까?"

"그저 사실을 말했을 뿐이에요. 딴 사람이 아니고 바로 제 자신에게요."

"줄리엣, 이제 당신 얼굴은 당신 것만이 아니라, 제게도 가장 소중한 얼굴이라는 것을 기억하시구려."

줄리엣은 더 이상 백작과 얘기하고 싶지 않았는지, 로렌스 신부를 바라보며 말했다.

"신부님, 조용히 드릴 말씀이 있어서 찾아왔어요. 지금 바쁘시면 저녁에 다시 오겠습니다."

"지금 바쁘지 않으니 들어가자. 백작님, 우리는 여기서 실례하겠습니다."

신부는 패리스 백작에게 작별 인사를 하고, 줄리엣과 함께 서재로 걸어갔다. 신부의 서재에 들어서자마자, 줄리엣은 참지 못하고 눈물을 흘리기 시작했다.

"신부님, 죄송해요. 안 그러려고 하는데, 자꾸 눈물이 나네요. 죄송해요. 울지 않고는 견딜 수가 없어요."

"줄리엣, 네 슬픔은 누구보다 내가 잘 알아. 그러나 나도 어쩔 도리가 없구나. 백작 말로는 목요일에 너와 결혼을 한다고 하던데. 그래, 그게 사실이냐?"

"아버지께서 그렇게 결정하셨어요."

줄리엣은 절망감과 막막함으로 오히려 차분하게 말했다. 마지막으로 믿었던 로렌스 신부님마저 어쩔 도리가 없다고 말하자, 이제 아무런 길도 보이지 않았던 것이다.

"신부님, 이젠 제가 선택할 수 있는 길은 하나밖에 없는 것 같아요. 신부님께서는 뭔가 방법을 알고 계시지 않을까 기대했었는데, 하는 수 없지요. 제일 마음에 걸리는 건, 로미오 님을 못 뵙고 떠나야 한다는 것이에요."

"줄리엣, 스스로 목숨을 끊겠다는 거냐?"

신부가 당황해서 물었다.

"달리 방법이 없잖아요. 그것이 최선인 것 같아요."

"줄리엣, 네 마음은 충분히 이해한다마는, 그건 하느님을 거역하는 행위야. 네 생명이라고 해서 네 마음대로 다룰 수 있는 것이 아니란 걸 잘 알지 않느냐? 그것이 얼마나 큰 죄인지도 알고 있고."

"신부님, 전 그냥 지옥에 가겠어요. 이 세상에서 이렇게 고통스럽게 사는 것보다는, 지옥에 가는 게 더 나을 것 같아요. 그게 차라리 행복할 것 같아요."

신부가 아무리 달래고 설득을 해도, 줄리엣의 결심은 확고했다. 줄리엣은 이미 결심을 굳힌 상태라, 더 이상 눈물도 흘리지 않았다.

"신부님, 전 이제 돌아가겠어요. 안녕히 계세요!"

줄리엣이 조용히 일어나서 돌아가려고 하자, 신부는 줄리엣을 불러 세웠다.

"이리 좀 오너라!"

신부는 나직한 목소리로 말을 꺼냈다.

"희망이 전혀 없는 건 아니란다. 한 가지 방법이 있긴 하지만, 대단한 각오가 필요한 일이야. 하지만 패리스 백작과 결혼하느니 자살하겠다는 결심이라면, 죽음 비슷한 일도 해 볼 수는 있을 테지. 네가 그만한 용기가 있다면 그 방법을 말해 주마."

줄리엣의 눈이 반짝 빛났다.

"패리스 백작과 결혼하느니 성벽 위에서 뛰어내리는 게 나아요. 차라리 무덤 속에 들어가 송장과 함께 누워 있으라고 하세요. 전에는 상상만 해도 소름끼치고 무서웠지만, 이젠 제 사랑하는 님을 향한 아내의 절개를 지키기 위해서라면, 아무 두려움도 없이 해낼 거예요."

"그래. 좋다. 이건 아주 어려운 일이란다. 게다가 대단한 용기가 필요하기도 하지. 하느님을 믿고 자기를 내맡기는 믿음도 필요하단다. 결코 자살보다 쉬운 일이 아니야."

줄리엣은 의자에서 몸을 일으키며 할 수 있다고 대답했다.

"알려 주세요. 치욕 속에서 생지옥의 고통을 당하는 일만 아니라면, 무슨 일이든 하겠어요."

"그럼 잘 들어라. 집에 돌아가서 아무 일 없었던 것처럼, 밝은 얼굴로 패리스 백작과 결혼하겠다고 하거라. 그리고 내일, 수요일이지? 수요일 밤에는 너 혼자 자도록 해라. 유모도 네 방에 들어오지 못하게 하고."

신부는 책상 밑 서랍에서 조그만 약병을 꺼내 줄리엣에게 주었다.

"그리고 이 약을 마시거라. 그러면 곧 졸리면서 뛰던 맥박도 멈추고, 체온과 호흡도 산 사람 같지 않을 것이다. 네 몸은 시체처럼 잿빛으로 변하여 싸늘해질 게다. 아무도 널 산 사람으로 생각하지 않을 거다. 그런 상태로 42시간이 지나면, 다시 혈관이 움직이기 시작해서 생기를 찾을 수 있단다. 깊이 자고 일어난 것처럼. 결혼식 날 아침, 신랑이 왔을 때 그는 이미 싸늘한 시체가 되어 있는 너를 보게 될 거다. 넌 관습에 따라 뚜껑이 없는 관 속으로 들어가, 가족 묘지로 가게 되겠지. 그 동안 나는 로미오에게 연락해서 우리의 계획을 알리고, 은밀하게 베로나로 부르마. 네가 깨어나면 함께 만투아로 가거라. 그렇게 되면 너희 둘을 쫓는 사람은 없을 테니까. 훗날 너희 부모들이 모든 것을 이해할 때까지. 하지만 변덕이나 불안 때문에 막판에 이르러, 용기를 잃어서는 안 된다. 할 수 있겠느냐?"

"신부님, 그 약을 주세요. 변덕부리는 일은 절대 없을 거예요."

신부는 줄리엣의 어깨 위에 손을 얹었다.

"마음 단단히 먹어라. 내가 곧 신부 한 사람을 만투아로 보낼 테니, 자, 너는 어서 가서 부모님을 위로해 드려라."

줄리엣은 말없이 신부에게 고개를 숙였다.

하늘에 맡긴 운명

캐퓰릿은 이미 결혼식 준비에 한창이었다. 집 안 구석구석을 깨끗하게 치우도록 했고, 결혼식에 초대한 사람들의 명단을 적어서 하인에게 통지하게 했다. 그러면서도 캐퓰릿은 줄리엣에 대해 꾀씸한 생각이 들어 투덜대기도 했다.

그 때, 창 밖을 보고 있던 유모가 줄리엣이 돌아오는 것을 보았다.

"보세요! 아가씨가 즐거운 얼굴로 돌아오고 계세요. 나리, 아가씨가 마음을 돌린 게 분명해요."

"정말 슬픔이 가신 얼굴이에요."

부인도 그제야 마음이 놓이는지 기뻐했다.

"이 골칫덩이야. 대체 어딜 헤매다 오는 거냐?"

"아버지, 아침에는 죄송했어요. 제가 잘못했어요. 앞으로는 아버지가 말씀하신 대로 잘 따르겠으니 제발 노여움을 푸세요. 로렌스 신부님께 고해성사를 하고 왔어요. 앞으로는 분부대로 할게요. 용서해 주세요."

줄리엣의 말에 캐퓰릿의 노여움은 스르르 풀리고 말았다.

"내 착한 딸, 그럼 그렇지. 여봐라! 어서 백작에게 가서 줄리엣이 승낙했다고 전해라. 목요일이 아니라 당장 내일이라도, 식을 올리겠다고 말이야!"

캐퓰릿이 기쁜 마음에 큰 소리로 하인에게 얘기를 하자 줄리엣이,

"아버지, 백작님과는 이미 성당에서 만났어요. 그래서 예의범절에 어긋나지 않을 정도로 애정을 보여 드렸고요."

하고 말했다.

"그래, 그랬구나. 잘했다! 어서 가서 푹 쉬어라. 너와 이 집에서 함께 지낼 날이 며칠 안 남았구나."

그 날은 부산한 가운데 지나가고, 그 이튿날인 수요일까지 온 집안은 결혼 준비로 떠들썩했다. 부인과 유모는 하루 종일 줄리엣의 방에서 옷들을 챙기며 수다를 떠느라고 정신없었다. 줄리엣은 가능한 명랑한 척하려고 애를 쓰고 있었다.

드디어 수요일 밤, 어둠이 찾아들기 시작했다. 완전히 어둠의 장막이 내려앉자 줄리엣은 침대 위에 누웠다. 줄리엣은 방문을 나서는 어머니의 뒷모습을 한동안 지켜보며, 마음속으로 안부 인사를 했다. 이제 헤어지면, 언제 만날 수 있을지 모르는 일이었다. 어쩌면 약을 먹고 영원히 깨어나지 못할지도 모를 일이었다.

줄리엣은 어머니를 마지막으로 안고 싶은 충동을 가까스로 참아 냈다. 모든 것을 운명에 맡길 수밖에 없는 일이었다. 홀로 남은 줄리엣의 마음에는 불안함이 엄습해왔다.

'이게 진짜 독약이면 어쩌지? 아니야, 신부님이 그런 걸 나에게 주셨을 리가 없잖아. 혹 로미오 님이 오기 전에, 무덤에서 내가 먼저 눈을 뜨면 어쩌지? 그 무서운 무덤 속에 혼자 있어야 할 텐데. 만약 약이 효력이 없다면, 내일 아침 나는 꼼짝없이 백작과 결혼을 해야 하는데.'

줄리엣은 약이 효험이 없을 경우에는, 칼로 자살하기로 결심 하고 약을 들이켰다. 그녀는 약병과 칼을 보이지 않는 곳에 숨겨 두고, 조용히 이불 속으로 들어가 누웠다. 고통은 조금도 느껴지지 않았다. 그저 잠이 오고 눈이 감길 뿐이었다. 이윽고 줄리엣은 몽롱한 의식 속에서 깊은 잠 속으로 빠져들었다.

드디어 결혼식 날이 밝았고, 유모와 캐퓰릿 부인은 음식을 장만하느라 분주하게 뛰어다니고 있었다. 저택 밖에서도 악대가 음악을 연주하고 있었다. 곧 들어설 신랑을 맞이하기 위해 캐퓰릿과 부인은 문 밖까지 마중을 나갔다. 캐퓰릿이 만면에 웃음을 띠며 검은 예복을 입은 패리스 백작을 맞이하여 인사하자, 부인도 백작에게 축하의 인사를 했다.

"여보, 유모! 줄리엣은 무얼 하고 있소? 빨리 가서 줄리엣을 깨워요. 예복이나 챙겨 입었는지 한번 올라가 보구려. 신랑이 벌써 왔는데."

부인은 곧 유모를 불렀고, 유모는 백작이 벌써 도착했다는 얘기에 급히 2층으로 뛰어올라갔다. 노크를 너무 세게 했는지 줄리엣의 방문이 저절로 열렸다.

"아가씨, 잠꾸러기 아가씨! 아직도 주무시고 계세요? 오늘 같은 날 이렇게 늦잠을 주무시면 어떡해요? 어서 일어나세요."

유모는 깊은 잠에 빠진 줄리엣을 마구 흔들었다.

"빨리 일어나세요. 안 일어나시면 패리스 백작님을 모셔오겠어요. 그래도 안 일어나실 거예요?"

유모는 아무리 흔들어도 줄리엣이 꼼짝하지 않자 이불을 확 젖혔다.

"악!"

유모는 줄리엣의 창백한 얼굴을 보고 놀라서, 두어 걸음 뒤로 물러섰다. 유모는 숨을 멈췄다가 크게 들이쉬고는 떨리는 손으로 줄리엣의 손을 잡아 보았다. 싸늘한 감촉만이 느껴질 뿐, 손도 얼굴처럼 창백하기만 했다. 유모는 부리나케 아래층으로 뛰어내려갔다. 유모가 비명을 질러 대자, 캐퓰릿은 얼굴을 찡그리며 나무랐다.

"오늘 같은 날, 왜 이리 시끄럽게 소란을 피우는 거야?"

"주, 죽었어요, 죽었어요!"

"죽다니, 누가 죽어?"

"지금 빨리, 빨리 줄리엣 아가씨 방에 가 보세요. 아가씨가 죽었어요."

캐퓰릿과 부인은 정신없이 계단을 뛰어올라갔다. 잠시 후 부인의 애절한 울음소리가 방 안에 울려 퍼졌다. 캐퓰릿 또한 줄리엣의 손발을 만져보더니 넋 나간 사람처럼 허공만 보고 있다가, 소리 내어 울기 시작했다. 유모는 실성한 것처럼 줄리엣의 몸을 쓰다듬었다.

"줄리엣! 이게 웬일이냐?"

부인은 울부짖으며 줄리엣을 껴안았다.

"오, 저주스런 운명이여! 하필 이런 경사스런 날 아가씨의 목숨을 앗아가다니!"

유모가 넋 나간 듯이 신을 저주하고 있을 때, 아래층에서 로렌스 신부님이 왔다는 피터의 목소리가 들려왔다. 캐퓰릿은 그 소리를 들었는지 못 들었는지, 석고상처럼 서서 줄리엣의 주검을 내려다보고 있었다.

잠시 후 캐퓰릿은 내키지 않는 걸음으로 홀 안으로 들어섰다. 신부는 캐퓰릿의 모습을 보면서, 줄리엣이 약을 마셨다는 것을 알아차렸다.

"줄리엣은 성당에 갈 준비가 다 되었는지요? 아까부터 백작이 이렇게 기다리고 있는 것 같은데."

"신부님, 성당에 갈 준비는 다 되었답니다. 다만, 한번 가면 다시는 돌아오지 못할 먼 길로 떠나고 말았습니다."

캐퓰릿의 넋 나간 듯한 목소리에, 패리스는 낯빛이 변하여 벌떡 일어섰다.

"도대체 그게 무슨 말씀입니까?"

"백작, 결혼 전날 밤 줄리엣은 죽음의 신에게 먼저 시집을 가 버렸다오. 어젯밤 죽음의 신이 내 딸을 붙잡아갔소."

백작은 너무나 놀라서 몸을 떨고 있었다.

"이 아침을 그렇게 애태우며 기다렸건만. 겨우 이런 모습을 보게 되다니! 죽음아, 형체가 있거든 나오너라! 이 찢어질 듯한 슬픔을 네게도 맛보여 주마."

로렌스 신부는 이리저리 다니며, 비통에 잠긴 사람들을 위로했다.

"모두 진정하시오. 슬퍼한다고 해서, 이미 닥친 불행이 사라지지는 않는다오. 누구나 하느님의 자녀인 것처럼, 줄리엣은 부모의 곁을 떠나 하느님에게로 간 것이오. 그러니 조금도 슬퍼할 일이 아니오. 어리석은 인연으로 슬퍼하지 않을 수야 없지만, 슬픔을 거두고 관례대로 준비해서 성당으로 옮깁시다. 영결식이 끝나면 가족묘지로 운반해서, 육신을 깊이 잠들게 해야 합니다."

"아! 결혼 피로연 음식이 장례식 음식이 될 줄 누가 알았는가! 결혼 축가는 장송곡으로 바뀌고, 신방을 장식할 꽃은 무덤을 장식하게 되다니! 모든 것이 거꾸로 돌아가는구나! 모두 미쳐 돌아가는구나!"

캐퓰릿의 비통한 목소리가 사람들의 마음을 울리고 있었다.

비극의 시작

만투아에 있는 로미오는 하루도 줄리엣 생각에서 벗어나지 못했다.

목요일 아침, 그는 지난 밤에 꾸었던 이상한 꿈을 떠올리고 있었다. 자기가 죽어 있었고, 줄리엣이 비탄에 잠겨서 자기의 시체를 내려다보고 있는 꿈이었다. 그러다 잠시 후 줄리엣이 자기에게 키스를 하자, 자신이 숨을 쉬기 시작하여 살아나는 것이었다. 꿈속에서도 자신의 의식이 또렷한 것이 느껴졌다.

"정말 사랑이 이루어지면 얼마나 달콤할까!"

로미오는 그 이상한 꿈 생각에 사로잡혀, 하루 종일 아무 일도 하지 못했다. 그런데 오후가 되자 벨사살이 급하게 달려왔다. 벨사살은 로미오가 이 곳으로 올 때 만일 줄리엣에게 무슨 일이 조금이라도 생기면, 알려 달라고 부탁해 놓은 로미오의 하인이었다.

"웬일이냐? 급히 달려온 것 같은데, 줄리엣은 잘 있겠지? 어서 말해 보렴. 잘 있는 거지?"

"편안하시고 말구요. 가족 묘지에 편안히 누워 있을 테니까요. 이런 좋지 못한 소식을 가져와서 죄송하지만, 도련님께서 떠나오실 때 하신 분부를 따르지 않을 수가 없어서요."

"가족묘지라니? 도대체 무슨 말을 하고 있는 거야?"

"줄리엣 아가씨는 돌아가셨습니다. 아가씨가 가족 묘지에 들어가는 걸 제 눈으로 보고 왔으니까요."

순간 로미오는 휘청거리며 벨사살에게 몸을 기댔다. 눈앞이 캄캄해지고 빙글빙글 도는 것 같았다. 곧 정신을 차린 로미오는 벨사살에게 소리를 질렀다.

"어서 말을 구해 오너라! 어두워지면 베로나로 떠나겠다."

"아니, 도련님! 그 곳에 가시면 생명이 위험해요."

"잔소리 말고 넌 말이나 구해 와!"

로미오가 벌겋게 충혈된 눈으로 쏘아보며 말하자, 벨사살은 기겁을 하고 그 자리를 허둥지둥 피했다. 그가 떠난 후 로미오는 몽유병자처럼 방향도 없이 걷기 시작했다.

"아, 이 무슨 운명의 장난이 이리도 가혹한지. 줄리엣, 얼마나 외롭고 무섭소? 조금만 참으시오. 내가 당신 곁으로 가리다. 이제 누구도 우리 사이를 막지는 못할 거요. 아무도."

로미오는 미치광이처럼 중얼대며 거리를 헤매다가 약국으로 들어섰다. 이전에 한번 지나치며 보았던 약국이었다. 약국에는 궁상맞아 보이는 약제사가 있었는데, 그런 몰골이라면 먹고 살기 위해서 독약도 팔 수 있을 것이라고 생각했던 것이다.

"약장사로 먹고 살기 힘들지요?"

"그걸 말씀이라고 하슈? 굶어죽지 않는 게 신기하지요."

"그럼 내게 독약을 파시오. 한 모금만 먹어도 저승으로 갈 수 있는 독약 말이오. 돈은 여기 있소. 이만한 돈이면 충분할 거요."

로미오는 가진 돈을 전부 약제사에게 주었다. 가난한 약장수가 평생 구경도 할 수 없을 정도의 많은 돈이었지만, 그 약제사는 머뭇거렸다.

"그런 독약이 있긴 하지만, 독약을 팔면 사형이라서."

"내가 독약을 산 걸 누가 알겠소? 남을 해칠 생각이 아니니 걱정하지 않아도 되오."

"그래도……."

"세상의 법이 사는데 어디 그리 도움을 주던가요? 그러니 가난에 빠져 있을 필요는 없는 것이오. 걱정은 잊어버리고 이거나 받으시오."

갈등하고 있던 약제사는 로미오가 내민 돈을 못 이긴 척 받았다.

"좋아요. 혀에 한 방울이라도 닿기만 하면, 생명을 앗아가는 독약을 드리지요. 그러나 가난 탓이니 나를 원망하지는 마오."

"걱정마시오. 나 또한 당신에게 돈을 치른 게 아니라, 가난에 대해 돈을 준 것이니까."

날이 어두워지기만을 기다리던 로미오는, 독약을 지니고 베로나로 말을 달리기 시작했다. 로미오가 비장한 각오로 길을 내달리고 있을 때, 성당에서는 존 신부와 로렌스 신부가 마주앉아 있었다. 존 신부는 로렌스 신부가 만투아의 로미오에게 심부름을 보냈던 신부였다.

"어떻게 이렇게 일찍 왔소? 로미오가 뭐라고 합디까? 편지라도 받아 오셨소?"

로렌스 신부는 어두운 얼굴로 존 신부를 바라보았다.

"갈 수가 없었습니다."

"갈 수가 없었다니요?"

"다른 한 신부님과 동행하기로 해서 시내에서 만났는데, 그 분은 전염병 환자를 문병하러 가는 길이었습니다. 그 집에 들렀다 나오다가, 시의 검역관을 만났지 뭡니까? 그 검역관이 우리가 전염병 환자 집에 있었다고, 우리를 밖으로 내보내 주지 않았습니다. 그래서 가지 못했습니다."

"그럼, 제가 드린 편지는 어떻게 되었습니까?"

"그 곳으로 가는 사람을 만나지 못해서, 도로 가져 왔습니다."

"이거 큰일이군. 이 편지는 정말 중요한 것인데. 이 일을 어쩌나. 잘 못하다간 위험한 일이 벌어질지도 몰라요. 존 신부님, 빨리 가서 막대기나 하나 구해 주십시오."

로렌스 신부는 로미오에게는 나중에 알리기로 하고, 우선 줄리엣을 구해야겠다는 생각을 했다. 홀로 깨어나서 그 무덤 속에 갇혀 두려워하고 있을 줄리엣이 걱정스러웠던 것이다.

줄리엣의 시체가 누워 있는 캐퓰릿 집안의 가족 묘지 안에는, 짙은 어둠이 무섭게 깔려 있었다. 밤이 으슥해졌을 무렵, 묘지 한 구석에 횃불이 움직이고 있었다. 횃불 주위에는 두 사람이 움직이고 있었는데, 한 사람은 하인이었고, 한 사람은 꽃다발을 들고 있는 패리스 백작이었다.

"횃불이 번쩍이는 것을 보고 순찰하던 사람이라도 오면, 시끄러워질 테니 꺼 버려라. 그리고 너는 숲 속에 있다가 누가 오는 기척이 있거든 신호로 휘파람을 불어라. 밤이라서 발소리가 잘 들릴 거다. 그리고 꽃다발은 내게 주고."

하인이 횃불을 끄고 어둠 속을 더듬어 숲 속으로 들어가자, 패리스 백작은 무덤 가까이에 가서 조용히 속삭였다.

"줄리엣! 당신은 갔지만 당신의 신방에 꽃을 뿌리고 싶어서 왔소. 당신은 내 가슴속에 영원히 살아 있소. 당신에 대한 그리움 때문에, 이렇게 꽃다발을 들고 찾아왔소."

이 때, 숲에서 휘파람을 부는 소리가 들렸다.

"아니, 이 밤중에 이런 음산한 묘지를 찾아오는 자가 대체 누굴까? 횃불까지 들고 오는군. 일단 숨어야겠군."

패리스는 묘지 가까이에 몸을 숨겼다. 횃불을 든 한 명은 벨사살이었고, 곡괭이를 들고 있는 또 한 사람은 로미오였다.

"자, 곡괭이와 지렛대는 날 주고, 이 편지를 가지고 가서 아침 일찍 아버지께 전해라. 횃불도 이리 다오. 넌 무엇을 보고 들었든 간에 방해할 생각 말고 멀리 떨어져 있거라."

"그렇지만 도련님!"

벨사살은 걱정이 되어 발길이 떨어지지 않았다.

"걱정하지 말아라. 이 젊은 나이에 설마 죽을 생각일랑 하겠느냐? 이 묘지를 파헤치려는 데는 아가씨의 얼굴을 보고 싶은 마음도 있지만, 줄리엣의 반지를 훔쳐다가 내가 계획하고 있는 일의 밑천으로 쓰려는 것뿐이다. 내가 하는 일을 엿보려고 온다면, 내 맹세하건대 네놈을 가만두지 않겠다. 내가 화가 나면 어떻다는 건 너도 알고 있을 테니, 방해하지 말고 어서 물러가거라."

"네, 소인은 물러가겠습니다."

벨사살은 횃불을 그 자리에 놓고 자취를 감추었으나, 곧장 집으로 갈 생각은 없었다. 아무래도 심상치 않아서, 로미오의 눈길이 닿지 않는 숲속에 몸을 숨기고 동태를 엿보기로 했다.

"줄리엣, 내가 당신을 찾아왔소. 잠깐만 기다려 주시오."

로미오가 곡괭이로 무덤을 막 파기 시작했을 때, 패리스 백작이 얼굴을 내밀었다. 대체 누가 줄리엣의 반지를 훔칠 생각인지 궁금했던 그는, 로미오를 보고 깜짝 놀랐다.

'아니, 저건 로미오! 추방당한 놈이 아닌가? 저놈이 티볼트를 죽였기 때문에, 그 슬픔으로 줄리엣이 죽은 거야. 그런데 이제 줄리엣의 시체까지 욕보이려고 하다니!'

패리스는 칼을 뽑아들고 달려가기 시작했다.

"이 무례한 놈아! 살인자가 뻔뻔스럽게 돌아와서는, 줄리엣의 주검까지 농락하려고 하다니!"

로미오는 깜짝 놀라 곡괭이질을 멈추고 뒤로 돌았다.

"네놈은 법을 어긴 자이니, 영주의 군사 손에 죽으나 내 손에 죽으나 마찬가지다. 원망은 말아라."

패리스가 칼로 위협하자 로미오도 재빨리 몸을 피하며 칼을 뽑았다.

"패리스 백작! 당신이 나를 굳이 죽이려고 하지 않더라도, 나는 살아서 이 묘지를 나갈 생각이 없소. 나는 줄리엣 곁에서 죽으려고 온 것이오. 내가 죽으면 당신 소원대로 되는 것이니, 쓸데없는 칼싸움일랑 그만두고 어서 돌아가시오."

"핑계가 좋구나. 너도 신사라면 그런 거짓말은 그만두거라. 줄리엣의 반지를 훔치러 온 녀석이 뭔 말이 그리 많으냐?"

"그건 벨사살을 보내기 위한 거짓말이었소."

"그 따위 변명은 더이상 듣고 싶지 않다. 자, 칼을 받아라!"

"정 못 믿겠다면 어쩔 수 없군."

로미오는 더이상 시간을 끌 수가 없어 패리스의 공격에 대항했다. 어둠 속에서 몇 번이나 칼이 부딪치는 소리가 들렸으나, 패리스 백작은 로미오의 맞수가 되기에는 역부족이었다. 결국 패리스 백작은 얼마 싸우지 못하고 쓰러졌다.

"음, 로미오! 나를 줄리엣 옆에 눕혀 주게! 제발……."

패리스 백작은 가쁜 숨을 몰아쉬며 숨을 거두었다. 이것을 본 백작의 하인은 재빨리 거리로 뛰쳐나갔다. 로미오는 백작의 마지막 한 마디에 문득 정신이 들었다. 줄리엣 생각에 잊고 있었지만, 오는 도중 벨사살이 패리스와 줄리엣의 결혼식이 오늘이었다고 말한 것이 생각났던 것이다.

"여기, 나처럼 슬픈 사람이 또 하나 있구나. 슬픈 사랑에 지쳐서 시든

꽃이 또 한 송이 있었구나."

로미오는 애처로운 듯이 중얼거렸다.

'그러나 당신을 줄리엣 옆에 눕힐 수는 없어. 그 곳은 내 자리니까. 이승에서나 저승에서나 그 곳은 내 자리란 말이야.'

죽음으로 얻은 평화

쇠막대기와 곡괭이를 가지고, 로미오는 미친 듯이 무덤을 팠다. 드디어 무덤 속의 모습이 드러났을 때, 횃불에 비친 무덤 속은 음산한 모습이었다. 잠든 것처럼 누워 있는 줄리엣의 모습이 드러났다.

"줄리엣!"

로미오는 패리스의 시체를 들어서 무덤 안에 뉘고, 자기도 무덤 속으로 들어갔다.

"줄리엣, 죽음조차도 당신의 아름다움을 앗아가진 못했구려. 이 장밋빛 입술을 열어 내게 키스해 주오. 이제 나도 당신을 따라갈 것이오."

로미오는 줄리엣을 한 팔로 안고 독약을 들이켰다.

그 무렵, 로렌스 신부는 혼자 등불과 곡괭이를 들고, 묘지를 향해 걸어왔다. 그는 무언지 모를 불안감을 느끼면서, 마음으로 계속 기도를 하며 걷고 있었다. 그런데 숲 속에서 바스락거리는 소리가 들려왔다.

"거기 누구요?"

"신부님을 잘 알고 있는 사람이에요."

"아니, 너는 몬태규네 하인이 아니냐? 네가 웬 일로 여기에 왔느냐?"

"로미오 도련님을 모시고 왔습니다."

"뭐? 로미오가 여기 와 있단 말이냐? 아, 이것도 하느님의 뜻인가? 그래, 로미오는 언제 왔지?"

"한 30분 전쯤요."

"30분이라. 그럼 어서 무덤으로 가 보자!"

"저는 갈 수가 없습니다. 저를 보면 도련님이 죽이려고 할 겁니다. 엿보기라도 하는 날엔 절 가만두지 않겠다고 하셨거든요. 그나저나 잠깐 졸고 있는 사이에 칼이 부딪치는 소리가 들려서 보았더니, 누군가 도련님과 싸우고 있었습니다."

신부는 불길한 마음이 들어 급히 무덤을 향했다.

"아니, 저기 쓰러져 있는 건 로미오가 아닌가? 그 옆에는 패리스 백작! 도대체 이게 어찌된 일이지?"

무덤 속에는 칼에 찔린 상처가 있는 패리스 백작과, 고이 잠든 것 같은 줄리엣과 로미오의 모습이 보였다. 로미오는 줄리엣을 꼭 끌어안고 있었다. 그 때 줄리엣이 어렴풋이 잠에서 깨어나기 시작했다. 희미한 의식 속에서 신부의 탄식 소리를 듣고 있던 줄리엣은, 의식이 회복되자 신부가 자신을 구하러 왔다는 것을 알게 되었다.

"신부님!"

그 순간 무덤 앞쪽에서 등불이 어른거리며, 많은 사람들이 몰려오는지 소란스런 소리가 들려왔다. 패리스 백작의 하인이 순찰대를 불러온 것이었다.

"신부님, 로미오 님은? 앗! "

주변을 둘러본 줄리엣은 무슨 일이 일어났는지 이해할 수가 없었다.

"아무 말 말고 어서 나가자. 로미오도 패리스 백작도 모두 죽었구나. 더 이상 여기에서 망설이고 있을 시간이 없으니, 빨리 나가자꾸나."

"신부님, 저는 안 가겠어요."

"줄리엣, 빨리 몸을 피하자꾸나. 더 이상 시간을 지체할 수가 없어."

"신부님, 잡히면 큰일이니 빨리 피하세요. 전 여기 있겠어요."

신부는 더 이상 지체할 수 없어 자리를 피했다.

"로미오 님, 왜 이런 짓을 하셨어요? 내가 이렇게 살아 있는데, 당신은 독약을 마셨나 보군요. 무정한 분, 어찌 한 방울의 독약도 남겨 주지 않으시고. 혹 입술에 남은 독약이 있다면 나도 같이 저승으로 갈 수 있으련만. 저도 당신을 따라가겠어요. 함께 있을 것을 생각하니 오히려 행복해요."

줄리엣이 로미오의 입술에 키스를 하는 순간, 순찰대가 문 앞까지 왔는지 발자국 소리가 들려왔다.

"사람 소리가 들리는구나. 그렇담 나도 빨리 끝내야겠어."

로미오를 포옹하던 줄리엣의 눈에 로미오의 단도가 들어왔다. 줄리엣은 조금의 망설임도 없이 단도를 빼, 자신의 가슴을 찔렀다. 그리고는 로미오의 시체 위에 쓰러졌다. 줄리엣은 사람들이 들어서는 소리와 어렴풋한 불빛을 느끼며, 로미오의 손을 꼭 잡은 채 숨을 거두었다.

한 패의 순찰대들이 들어서고, 이어 로렌스 신부를 데리고 다른 순찰대 한 명이 다시 등장했다. 새벽부터 캐퓰릿 가의 무덤에서 살인이 일어났다는 소식에, 영주와 캐퓰릿 부부도 도착했다. 소식을 전해들은 몬테규 가문 사람들도 들어섰다.

"영주님, 제 처가 간밤에 자식이 추방당했다고 비관하여 자살했는데, 이 새벽부터 무슨 일이 생겼길래."

"여기를 잘 보시오."

"아니, 이런 변이! 못난 자식 같으니라고. 아비보다 먼저 무덤에 뛰어들다니!"

"진정하시구려. 도대체 어찌된 영문인지 설명할 수 있는 사람이 누가 있는가?"

순찰대에 잡혀온 로렌스 신부가 앞자리로 나섰다.

"제가 다 말씀드리겠습니다."

로렌스 신부는 로미오와 줄리엣이 결혼한 이야기며, 바로 그 날 티볼트의 죽음으로 인해 캐퓰릿 가에서 슬픔을 없애기 위해 줄리엣을 패리스 백작과 결혼시키려 했던 얘기, 이후 로렌스 신부가 줄리엣과 로미오를 돕기 위해 꾸민 계략이 뒤엉키면서 일어난 일 등을 소상히 말했다.

"그렇다면, 이 모든 일이 두 가문이 서로를 증오하는 바람에 일어난 천벌이 아니오? 잘 보시오. 그대들의 기쁨인 자식들이 서로 사랑했기 때문에 죽고 말았으니. 나 또한 이를 등한시하고 있다가 친척을 두 사람이나 잃고 말았구려. 모두 벌을 받은 것이오."

캐퓰릿과 몬테규는 처참한 광경 앞에서, 사돈이 된 사실을 받아들이고 화해했다. 두 가문의 오랜 원한은, 두 젊은 남녀를 잃고 나서야 풀어졌다. 서글픈 평화를 간직한 채 아침이 밝아오고 있었다.

한여름 밤의 꿈

제1막

제1장 티시어스의 저택

티시어스와 히폴리터가 등장해서 좌석에 앉는다. 그 뒤에 필로스트레이트와 시종들 등장.

티시어스 - 아름다운 히폴리터, 곧 우리의 결혼식이오. 결혼식날을 기다리는 것이 지루하군요. 자, 필로스트레이트, 가서 아테네의 젊은이들의 마음을 들뜨게 하라. 우리의 혼인을 위해서! (필로스트레이트 퇴장) 히폴리터, 난 칼을 가지고 당신에게 구애를 해서 당신의 사랑을 얻기는 했지만 실례가 많았소. 그래서 미안한 마음에 성대하게 결혼식을 하려고 하오.

이지어스가 딸 허미어를 데리고 등장. 그 뒤에 라이샌더와 디미트리어스 등장.

이지어스 - 문안드립니다. 공작님.
티시어스 - 오, 웬일인가?

이지어스 - 이렇게 원통한 일이 어디 있습니까? 제 딸 허미어 때문입니다. 이 사람은 디미트리어스입니다. 제 딸과 약혼한 청년이지요. 라이샌더도 이리 나오게. 그런데 이자가 딸애의 넋을 빼놓았습니다. 간사한 수단으로 딸아이의 마음을 빼앗아 갔습니다. 공작님, 딸년이 공작님 앞에서 디미트리어스와의 결혼을 받아들이게 해 주십시오. 제 딸이 디미트리어스와 결혼을 하지 않는다면, 죽음을 택하게 해 주십시오.

티시어스 - 허미어, 네 아버지는 하느님과 같은 분이시다. 너를 태어나게 하신 분이다. 아버지의 말을 들어라. 그리고 디미트리어스는 훌륭한 신사가 아니냐?

허미어 - 라이샌더도 훌륭한 분입니다.

티시어스 - 그러나 네 아버지의 승낙 없이는 안 된다.

허미어 - 제가 만약 디미트리어스를 거절하면, 무슨 중벌이 내려질지 알고 싶어요.

티시어스 - 사형을 받든가, 수녀원으로 가야 하지.

허미어 - 저는 마음에도 없는 남자에게 시집 가고 싶지 않아요. 그럴 바에는 수녀원으로 들어가겠어요.

티시어스 - 잘 생각해 보아라. 초생달이 뜰 때까지 여유를 주겠다. 그 때까지 잘 생각해 보아라.

디미트리어스 - 마음을 돌려요, 허미어. 그리고 라이샌더, 자네도 내가 약혼자임을 알고 물러나 주게.

라이샌더 - 여보게. 자넨 허미어의 아버지가 마음에 들어 하니 그 분과 결혼을 하라고. 허미어는 나에게 맡기고 말야.

이지어스 - 이 고약한 놈 같으니.

라이샌더 - 공작님, 저도 가문이며 재산이 디미트리어스 못지 않습니다. 거기다 허미어에 대한 사랑은 제가 더 큽니다. 또 무엇보다 결혼할 당사자인 허미어의 마음을 제가 더 많이 차지하고 있습니다. 디미트리어스에게는 네더의 딸 헬레네가 있습니다. 이미 헬레네에게 구애를 했었습니다. 헬레네는 이 자를 신처럼 숭배하고 있답니다.

티시어스 – 나도 그 소식을 알고 있다. 그 이야기를 하려던 참이다. 하지만 내가 지금 너무 바쁘다. (일어서면서) 그러나 디미트리어스, 이지어스, 나와 같이 가 주겠나. 자네들에게만 할 얘기가 있네. 그리고 허미어야, 아버지 의사를 따르도록 잘 생각해 봐. 안 그러면 너는, 아테네의 법대로 죽거나 아니면 수녀원에 가야 해. 자, 히폴리터, 웬일이오. 기운을 내요. 자, 들어갑시다.

허미어와 라이샌더만 남고 퇴장.

라이샌더 – 난 미망인이 된 고모가 한 분 계신다오. 유산은 많고 아이는 없지. 날 친아들처럼 생각합니다. 허미어, 그 곳에 가면 우린 결혼할 수 있을 거요. 아테네의 법도 그 곳까진 미치지 못하오. 그러니 정말 나를 사랑한다면, 나랑 몰래 도망갑시다. 시내에서 십 리 정도 떨어진 곳에서 당신을 기다리겠소.
허미어 – 라이샌더, 알겠어요. 내일 꼭 그 장소에 가겠어요.
라이샌더 – 그럼 약속을 잊지 마오. 저기 헬레네가 오는군.

헬레네가 복도를 지나간다.

허미어 – 예쁜 헬레네, 어디 가니?
헬레네 – 내가 예쁘다고? 그런 말은 취소해. 내가 사랑하는 디미트리어스는 네 아름다움에 넋을 잃었는데. 어째서, 그 사람은 널 사랑하는 걸까?

허미어 – 글쎄, 내가 얼굴을 찌푸려도 디미트리어스는 나를 사랑하는구나. 내가 마구 욕을 해도 그렇고.

헬레네 – 바로 네 미모 때문이야.

허미어 – 걱정하지 마. 다시는 그를 만나지 않을 거야. 나는 라이샌더와 함께 멀리 달아나기로 했어.

라이샌더 – 우리는 아테네를 도망치기로 했소.

허미어 – 잘 있어, 헬레네. 우리들을 위해 기도해 줘. 네게도 행운이 와서 디미트리어스와 잘 되기를! 그럼, 라이샌더 님. 서로 만나고 싶어도 내일까지는 참아요.

라이샌더 – 헬레네도 잘 가오. 디미트리어스가 당신을 사랑하기를!
(퇴장)

헬레네 – 디미트리어스는 허미어를 만나기 전 나를 사랑했었지. 자기의 사랑을 받을 사람은 나뿐이라고 말했었지. 그런데 그는 이제 변했어. 허미어를 사랑하고 있어. 이제, 가서 허미어가 도망간다는 말을 해 줘야겠어. 그럼 그인 허미어를 쫓아가겠지. 하지만 그 사실을 말해주면 나를 조금은 좋게 생각해 주지 않을까? (퇴장)

제2장 아테네, 피터 퀸스의 집

퀸스, 보텀, 스너그, 플루트, 스노트, 스타블링 등장.

퀸스 – 다들 모였나?

보텀 – 퀸스, 연극의 내용을 말해 줘. 그 다음에 배역을 정하고, 그러고 나서 연극에 대해 이야기 하자고.

퀸스 - 슬프디 슬픈 희극이야. 피라모스와 티스베의 참혹한 죽음을 다룬 이야기지.

보컴 - 그럼 배역을 불러 봐.

퀸스 - 알았네. 직공 보컴, 자네는 피라모스 역이네. 티스베의 애인 역인데 사랑 때문에 용감하게 자살을 하는 사람이지. 풀무 수선장이 플루트!

플루트 - 어서 말하게. 난 무슨 역인가?

퀸스 - 자네는 티스베 역할이네, 피라모스가 사랑하는 여자라네. 재단사 로빈, 자네는 티스베의 어머니 역이고. 땜장이 톰 스노트는 피라모스의 아버지 역이네. 난 티스베의 아버지 역이고, 가구장이 스너그, 자넨 사자역이네. 자, 이제 배역은 다 됐네.

스너그 - 사자 역의 대사를 미리 좀 주게. 난 머리가 나빠서.

퀸스 - 걱정 말게. 그냥 으르렁거리기만 하면 되니까. 너무 사납게 으르렁 대면 공작 부인과, 귀부인들이 놀라 자빠지지. 그러면 우린 모두 야단을 맞지.

보컴 - 귀부인이 놀라서 정신을 잃는 날엔 큰일이야. 내가 사자 역을 같이 할게. 그냥 비둘기처럼 조용히 으르렁거릴게.

퀸스 - 자넨 피라모스 역이나 열심히 하게. 피라모스는 상냥하고 멋진 신사라네. 그러니 그 역은 자네가 적격이야.

보컴 - 그럼 알았네.

퀸스 - 자 그럼, 이따가 숲 속에 있는 공작님의 저택에서 만나서 연습을 하세. 거기라면 조용히 연습할 수 있을 거야.

보컴 - 알았네. 이따 보세.

퀸스 - 공작님 저택 도토리나무 밑에서 만나세. (일동 퇴장)

제2막

제1장 공작의 저택이 있는 숲

시내에서 십 리쯤 떨어진 곳. 나무를 쳐낸 빈터가 있고, 그 주위에 나무들이 둘러쳐져 있다. 달밤이다. 파크와 요정이 등장.

파크 – 아니, 요정! 너 어디 가니?

요정 – 산 너머 저쪽. 덤불 뚫고, 찔레 뚫고 마당 너머 담 너머로 이슬을 찾으러 가는 중이야. 우리 여왕님과 요정들이 곧 오신단다. 그럼 잘 있어. 이 얼뜨기!

파크 – 우리 임금님이 오늘 밤 이 곳에서 잔치를 하셔. 그러니 너의 여왕은 얼씬도 하지 않는 것이 좋아. 오베론 임금님은 성미가 급하시잖아. 여왕님의 시종 중에 인도에서 온 소년이 있잖니? 그 시종을 오베론 임금님이 갖고 싶어하시거든. 그래서 임금님과 여왕님은 만나기만 하면 그 인도에서 온 시종을 놓고 싸움을 하시잖아. 너무 무섭게 싸우는 통에 요정들이 모두 겁을 먹고 도망가기 일쑤지.

요정 – 넌 장난꾸러기 파크로구나. 마을 색시들을 놀라게 하는 게 바로 너지? 마을 아줌마들을 골탕먹이는 것도 너고?

파크 – 그렇다. 난 밤의 즐거운 방랑자. 오베론 임금님의 어릿광대지. 앗, 저기 오베론 임금님이 오신다.

요정 – 앗, 우리 여왕님도 오시네.

빈터에 별안간 요정들이 몰려든다. 양쪽에서 오베론과 티테니어가 등장.

오베론 – 재수 없는 티테니어를 만나다니.

티테니어 – 질투쟁이 오베론! 요정들아 모두 달아나거라!

오베론 – 거기 있어. 이 깍쟁이 같은 것아. 그리고 그 인도 시종을 나에게 줘. 그러면 너를 괴롭히지 않겠다.

티테니어 – 그것은 단념하세요. 그 애의 어머니가 그 애를 낳다가 죽었지요. 그 애 엄마를 봐서라도 그 애하고 나는 헤어질 수 없어요.

오베론 – 언제까지 이 숲에 있을 생각이오?

테테니어 – 글쎄요. 티시어스 공작의 결혼식이 끝날 때까지요. 혹시 저희들과 같이 달밤의 향연을 보시려거든, 오세요.

오베론 – 그 아일 내놔. 그러면 같이 가 주지.

티테니어 – 당신의 요정 나라를 다 준다고 해도 싫어요.

요정들아! 자, 가자. 여기 더 있다가는 싸움을 하겠다. (일행을 거느리고 퇴장)

오베론 – 좋다. 하지만 이 숲에서 나가지 못하게 할 테다. 파크야. 이리 와 봐. 큐피드의 화살이 떨어진 곳에 작은 화초가 있단다. 젖같이 하얗던 것이 사랑의 화살을 맞고 자줏빛으로 변했지. 그 화초를 사랑꽃이라고 한단다. 그 꽃을 가져와라. 그 즙을 짜서 자는 사람 눈에 바르면, 남자든 여자든 잠을 깨서 처음 보는 상대에게 넋을 잃는단다. 그 화초를 가지고 오너라.

파크 – 알겠습니다. (퇴장)

오베론 – 티테니어가 자는 틈에 그 즙을 눈에 바르겠어. 그래서 그녀가 눈을 뜨면 사자든 곰이든 늑대든 여우든, 처음 보는 것을 사랑하도록 해야지. 앗, 누가 오는군. 하지만 난 사람들 눈에 보이지 않으니 걱정 없지. 자, 저들이 무슨 말을 하는지 봐야겠어.

디미트리어스가 들어오고 헬레네가 쫓아온다.

디미트리어스 – 이제 너를 사랑하지 않으니 나를 따라오지 마. 라이샌더와 허미어는 어디 있을까? 허미어가 보이지 않으니 난 미칠 것 같아. 헬레네, 제발 나를 쫓아오지 마.

헬레네 – 당신은 차가운 심장을 가진 자석이에요. 그래서 나를 끌어 당겨요. 디미트리어스님, 저는 당신의 스페니엘(개의 한 종류)이에요. 저를 당신의 스페니엘이라고 생각하시고 마음대로 하세요. 그렇게라도 당신 곁에 있고 싶어요.

디미트리어스 – 정말이지 난 당신 얼굴만 봐도 구역질이 나.

헬레네 – 전 당신을 보지 못하면 견딜 수 없는 걸요.

디미트리어스 – 당신은 무섭지도 않소? 이렇게 늦은 밤에 남자와 함께 있다는 것이?

헬레네 – 당신은 덕이 있는 사람이니 염려하지 않아요.

디미트리어스 – 난 들짐승들이 나타나도 당신을 내버려 둘 거요.

헬레네 – 당신은 정말 가혹하시군요.

디미트리어스 – 난 그만 가겠어. (디미트리어스 퇴장)

헬레네 – 그래도 난 당신을 따라가겠어요. (헬레네 퇴장)

오베론 – 이런, 사내가 이 숲을 나가기 전에 마음을 바꾸어 놓겠어. (파크 꽃을 들고 등장) 수고했다. 그걸 이리 다오. 티테니어는 밤이면 꽃밭에 누워 즐거운 춤에 취하여 잠이 든다. 그 때 난 이 꽃의 즙을 그 여자 눈에 발라 놓을 거야. 너도 이 즙을 가지고 가서 이 숲 속을 찾아 봐라. 아테네의 어떤 처녀가 사랑에 빠졌는데 상대방은 거절하고 있단다. 그 청년 눈에 이 즙을 발라라. 눈을 뜨고 처음 보는 여자가 바로 그 처녀가 되도록 해라.

파크 – 염려 마세요.

제2장 숲 속, 다른 곳

잔디밭 뒤쪽에 도토리 나무가 있다. 그 나무 뒤에는 높은 둑이 있고 덩굴이 늘어져 있다. 한쪽은 가시덤불 꽃 향기가 가득하다. 티테니어가 둑 밑 그늘에 누워 있고 요정들이 시중을 들고 있다.

티테니어 – 자, 애들아. 노래를 해 봐라. 그리고 내가 잠이 들면 물러가거라. 난 좀 쉬어야겠다.

요정들 노래를 부른다. 어느 새 티테니어는 잠이 든다.

요정 – 애들아, 여왕님이 잠이 드셨다. 이젠 나가자. (요정들 퇴장)

오베론 나타나서 둑 위를 날아다니다 내려와서, 티테니어 눈에 꽃즙을 바른다.

오베론 – 잠이 깨어 처음으로 보는 것이 너의 애인이 된다. 하하, 제발 흉악한 것을 보기를! (오베론 퇴장)

라이샌더와 허미어 등장. 허미어는 라이샌더에게 기대고 그의 팔에 안겨 있다.

라이샌더 – 너무 지쳤어. 좀 쉬어갑시다. 괜찮지?
허미어 – 네, 그렇게 해요. 어디 누우실 곳을 마련하세요.

라이샌더 - 난 당신을 사랑하오. 내 마음이 변하는 날에 난 벼락을 맞아도 좋소. 자, 잠을 잡시다. 잠이 우리 모두에게 휴식을 주기를!

두 사람 모두 잠이 든다. 그 때 파크 등장.

파크 - 숲 속을 샅샅이 뒤졌지만 아테네 사람은 보지 못했어. 이 꽃 즙이 과연 효과가 있는지 확인해 봐야 하는데. 앗, 이게 누구야? 옷을 보니 아테네 사람이구나. 바로 오베론 임금님이 말씀하신 자야. 남자를 짝사랑하는 여자가 습한 땅에 곤히 잠들어 있구나. 가엾어라! (라이샌더의 눈에 꽃즙을 바른다.) 요녀석, 이제 이 여자를 미친듯이 사랑하겠군. 난 물러갈 테니 잠시 후에 잠을 깨거라. 내 할 일은 다 했으니, 임금님한테 가야지. (파크 퇴장)

디미트리어스와 헬레네 뛰어들어온다.

디미트리어스 - 저리 가. 이렇게 귀찮게 쫓아다니지 마.
헬레네 - 그러지 마세요.
디미트리어스 - 나는 혼자 갈 테야. (디미트리어스 퇴장)
헬레네 - 지금 허미어는 무척 행복하겠지. 그 애 눈은 어쩜 그렇게 예쁠까? 이게 누구야? 라이샌더 님이군. 저렇게 땅바닥에 누워 있다니? 혹시 죽은 건 아닐까? 라이샌더 님, 일어나세요.
라이샌더 - (잠을 깨면서)오, 당신은 헬레네. 당신을 사랑하오. 당신을 위해서라면 불에라도 뛰어들 테요. 디미트리어스는 어디 갔소? 그 녀석은 내 칼에 죽어야 마땅해.
헬레네 - 그러지 마세요. 그이가 허미어를 사랑한다고 해서 나쁠 건

없잖아요. 허미어가 당신을 사랑하고 있으니, 만족하실 수 있잖아요?

라이샌더 - 허미어 때문에 만족한다고? 천만에! 내가 사랑하는 여자는 당신이오. 당신 눈이야말로 향기로운 사랑의 눈이라오.

헬레네 - 정말 너무하시는군요. 내가 디미트리어스를 짝사랑한다고 이렇게 나를 조롱하다니. 나는 당신을 점잖은 사람이라고 생각했었는데. 한 남자한테는 거절당하고, 다른 남자한테는 조롱을 당하다니! (헬레네 퇴장.)

라이샌더 - 헬레네, 같이 가오. 나는 이제 내 애정과 기운을 다해 당신을 숭배하고 있다고! (라이샌더 뒤따라 퇴장)

허미어 - (잠을 깨며) 라이샌더, 어디 계세요? 라이샌더! 내 목소리가 들리면 대답해 봐요. 라이샌더! (퇴장)

제3막

제1장 앞 장과 같은 장소

연극을 맡은 마을의 직공들 어슬렁어슬렁 들어와 도토리 나무 밑으로 모인다.

보컴 - 다들 모였나?

퀸스 - 자, 됐어. 연습하기에 좋은 장소야. 공작님이 보신다고 생각하고 연기를 해 보자고.

보컴-여보게, 피터 퀸스! 이 희극에서 마음에 안 드는 부분이 있어. 바로 파라모스가 칼로 자살하는 대목일세. 이 대목을 보고 귀부인들이 질색할 거 같은데?

스노트 – 아마 그럴 거야. 놀라 자빠지겠지.

스타볼링 – 그럼 자살 장면을 없앨거야?

보컴 – 그러지 말고 해설을 붙이면 어때?

퀸스 – 그러지 뭐. 그런데 귀부인들은 사자도 무서워 할 것 같아.

스타블링 – 그럼 해설을 하나 더 붙여서, 이건 진짜 사자가 아니라고 밝히지 뭐.

퀸스 – 그러는 게 좋겠군. 그런데 두 가지 어려운 일이 있어. 뭔가 하면, 대궐 대청 안으로 달님을 어떻게 가져오느냐 하는 거지. 알다시피 피라모스와 티스베는 달밤에 만나거든.

보컴 – 걱정 마. 연극을 하는 날은 달이 뜨는 날이니까.

퀸스 – 그럼 다행이군. 하지만 문제가 또 있어. 대청 안에 돌담이 있어야 해. 피라모스와 티스베는 돌담 밑에서 말을 하거든.

보컴 – 그거야 누가 돌담 역을 하면 되지. 몸에 진흙을 바르고 오는 거야. 그리고 손가락을 이렇게 벌리고, 그 사이로 피라모스와 티스베가 소곤거리는 거지.

퀸스 – 그렇게 하면 만사가 문제 없네. 자, 이제 연습을 하자고. 피라모스, 자네부터 시작하게. 대사를 다 말하고 나면, 덤불 속으로 가 있게.

파크가 도토리 나무 뒤에 나타난다.

파크 – (독백) 요정 나라 여왕님이 주무시는 곳에서 연극을 하는 모양이군. 심심한데 좀 구경이나 할까? 장난도 칠겸.

퀸스 – 자, 피라모스 시작.

보컴 – 아! 티스베님, 꽃 악취는 자욱한데……

퀸스 – (대본을 보며) 대사가 틀렸네. 악취가 아니라 향기야, 향기!

보컴 – 향기는 자욱한데, 그와 같은 향기로운 당신의 입김. 아, 그리운 티스베 님. 여기 잠깐 서 계세요. 곧 돌아오겠소. (덤불로 퇴장)

파크 – (독백) 이렇게 괴상한 피라모스는 처음이야. (보컴을 따라 덤불로 들어간다.)

플루트 – 햇살 같은 피라모스 님, 늠름하신 그 모습, 피라모스 님, 나이더스의 무덤에서 기다리겠어요.

퀸스 – 이봐. 그 사이에 보컴의 대사가 있는데, 미리 다음 대사까지 말하면 안 되잖아. 다시 시작해.

보컴 등장. 머리가 당나귀로 변해 있다. 그 뒤에 파크가 따라 들어온다.

보컴 – 오, 티스베 님! 내가 그만한 미남이라면, 나는 오직 당신의 것이에요.

퀸스 – 아이고 이 괴물 봐라. 괴물이 나타났다! 아이고 달아나자. 사람 살려!

다들 보컴의 모습을 보고, 덤불 속으로 들어가고 보컴만 남아 있다.

보컴 – 왜 다들 도망을 가는 걸까? 나를 곯려 줄 생각인가 보네.

스노트가 속에서 내다본다.

스노트 – 아이고 보컴, 그게 웬 꼴인가?

퀸스 - 아이고 보컴! 자네가 변했네. 당나귀로 변했어. (달아나 버린다.)

보컴 - 누가 자네들의 장난을 모를까 봐. 나를 당나귀 취급하고 놀려줄 심사겠지. 난 이 곳에서 끄떡도 안 할 테야. 이 근처를 왔다갔다하며 노래를 부르고 있어야지. (콧노래를 부르며 이따금 당나귀 소리를 낸다.)

티테니어 - (잠을 깨고 나타나서) 아니, 이 소리는 천사의 소리인가?

보컴은 계속 노래를 한다.

티테니어 - 젊은이, 한 번 더 노래를 해 주세요. 저는 당신의 노랫소리에 홀딱 반해 버렸어요. 나는 당신에게 사랑의 고백을 하지 않을 수 없네요.

보컴 - 글쎄요. 당신은 농담을 잘 하시는군요.

티테니어 - 당신은 이 곳에서 떠나면 안 됩니다. 저는 보통 요정이 아니랍니다. 그러니 항상 저와 같이 있어 주세요. 내 요정들에게 당신을 시중 들라고 할 게요. 요정들아 어딨니? (이 부름에 요정들이 나타난다.)

요정 일동 - 부르셨어요? 여왕님.

티테니어 - 이 어른을 공손히 잘 모셔라. 이분께 즐거운 노래와 춤을 보여 드려라. 자, 먼저 이분께 인사를 드려라.

일동 - 안녕하세요?

보컴 - 고맙네. 그런데 이름은?

거미집 - 거미집입니다.

콩꽃 - 콩꽃입니다.

겨자씨 - 겨자씨입니다.

티테니어 - 자, 어서! 이분을 즐겁게 해 드려라. 그리고 내 전각으로 안내해 드려라. (일동 퇴장)

제2장 숲 속, 이끼가 자란 언덕

오베론 등장.

오베론 - 지금쯤 티테니어는 잠을 깼겠지. 아하, 저기 파크가 오는구나. 요놈아, 이 숲 속에 무슨 재미난 일을 만들었느냐?

파크 - 여왕님이 괴물한테 빠졌습니다. 여왕님이 주무시는데 마침 아테네 시장에서 일하는 직공들이, 티시어스 공작의 결혼을 축하하려고 연극을 연습하고 있었습니다. 그 때 가장 천치 같은 녀석이 피라모스 역을 맡았습니다. 그리고 연극 진행상 덤불 속에 들어왔습니다. 전 그 기회를 이용해서 그 녀석 머리에 당나귀 탈을 씌웠습니다. 그 모습을 보고 다른 놈들은 놀라서 도망을 쳤지요. 그 때 여왕님이 눈을 뜨시고 단번에 그 당나귀 녀석한테 반하게 되었습니다.

오베론 - 성공했구나. 그건 그렇고, 내가 말한 아테네 청년에게 그 약즙을 발랐느냐?

파크 - 말씀대로 해 놓았습니다. 마침 말씀하신 아테네 여자가 그 옆에서 잠을 자고 있었습니다. 그러니 잠을 깨면 반드시 그 여자를 사랑하게 될 것입니다.

디미트리어스와 허미어 등장.

오베론 - 이리 오라. 내가 말한 아테네 청년이 오는구나.

파크 - 여자는 그 여자지만 남자는 다른데요.

디미트리어스 - 오, 당신을 사랑하는 이 사람을 왜 이렇게 비난한단 말입니까?

허미어 - 당신은 저주받을 만한 짓을 했으니까요. 잠자고 있는 라이샌더 님을 당신이 죽였지요. 자, 어서 말해요. 그분을 어디에 두었나요? 제발 그이를 제게 돌려주세요.

디미트리어스 - 얼토당토않게 화를 내시는군요. 난 라이샌더에게 피를 흘리게 하지 않았소.

허미어 - 이제 다시는 저를 볼 생각 말아요. (화를 내며 퇴장)

디미트리어스 - 저렇게 화가 난 여자를 따라가 봐야 소용 없겠군. 아아, 잠이 부족해. 누워서 잠을 좀 자야 겠어. (눕는다.)

오베론 - 이게 무슨 일이냐? 네가 실수를 했구나.

파크 - 이제는 운명의 신에게 맡길 수밖에 없습니다.

오베론 - 너는 어서 숲 속에 가서 헬레네라는 아테네 여자를 찾아와라. 그 여잔 상사병에 걸려서 거의 죽을 지경이란다. 그 여자가 올 때까지 난 이 청년의 눈에 마법을 걸어 놓겠다.

파크 - 네, 가 보겠습니다. (파크 퇴장.)

오베론이 잠자고 있는 디미트리어스를 본다.

오베론 - 자, 눈동자 속에 자줏빛 꽃즙아, 들어가라. 깨어나서 보면 그 여자의 얼굴은 하늘의 샛별처럼 보일 것이다.

파크 - 임금님! 지금 헬레네가 오고 있습니다. 제가 실수를 한 청년도 같이요. 그들의 우스운 꼴을 한번 같이 보실까요? 두 사람이 동시에 한 여자에게 사랑을 구걸하겠군요.

라이샌더와 헬레네 등장.

헬레네 – 그 애를 버리려고 하는 것을 보니, 당신은 분별력이 없으시군요.

라이샌더 – 그 여자는 디미트리어스가 사랑하고 있소.

디미트리어스 – (눈을 뜬다.) 오, 헬레네. 완전 무결하게 아름다운 여자. 아, 당신의 눈은 무엇과도 비교할 수 없을 정도로 아름답소.

헬레네 – 아, 두 분 모두 뭐하시는 거예요? 저를 지금 놀리시나요? 당신들은 서로 연적이었지요. 허미어의 사랑을 놓고 경쟁하던 사람들이 이제는 나를 놀리는 것으로 서로 경쟁을 하시는군요.

라이샌더 – 디미트리어스. 자네는 허미어를 사랑하고 있지? 그러니 나에게 헬레네를 양보하게. 나는 헬레네를 죽는 날까지 사랑하겠네.

헬레네 – 거짓말을 늘어놓다니. 정말 기가 막혀!

디미트리어스 – 라이샌더. 허미어는 자네가 맡게. 나는 과거에 그녀를 사랑했지만 지금은 아니라네.

라이샌더 – 헬레네, 저건 거짓말이오.

허미어 다가온다.

디미트리어스 – 보게, 저기 자네 애인이 오고 있네.

허미어, 라이샌더를 보고 그 옆으로 달려온다.

허미어 – 아, 라이샌더 님! 왜 나를 혼자 두고 가 버렸나요?

라이샌더 – 아름다운 헬레네, 저 하늘에 빛나는 별들보다 더 아름다운 눈을 가진 그대! 허미어, 내가 왜 당신을 혼자 두고 갔는지 이유를 모르겠소? 그건 바로 당신이 싫어졌기 때문이오.

허미어 - 거짓말 하지 마세요.

헬레네 - 아, 허미어도 나를 같이 놀리는구나. 세 사람이 공모해서 나를 못살게 하는구나. 너무해! 허미어, 인정머리 없는 친구 같으니라고. 너를 사랑하는 두 남자를 이용해 나를 놀리려 하다니!

허미어 - 그렇게 화를 내는 게 어디 있어. 난 너를 조롱하지 않았어.

헬레네 - 네가 라이샌더 님을 시켜서 나를 뒤쫓고, 사랑을 구걸하도록 시킨 게 아니야? 그리고 디미트리어스까지. 조금 전만 해도 나를 발로 찬 사람이 나를 숭배하고 있으니, 이게 대체 무슨 일이니? 다 네가 시켜서 한 짓이 아니냔 말야.

허미어 - 도대체 무슨 말인지 모르겠어.

헬레네 - 모두들 너무 해! 나를 갖고 놀다니, 정말 기분 나빠! 난 이제 갈 테야. 잘들 있으라고.

라이샌더 - 이봐, 헬레네. 내 사랑, 내 생명, 내 영혼인 아름다운 그대.

허미어 - 라이샌더 님. 제발 헬레네를 놀리지 마세요.

라이샌더 - 이봐, 헬레네. 난 당신을 사랑하오. 내 목숨을 걸고 사랑한단 말이오!

디미트리어스 - 단언하지만, 내가 라이샌더보다 헬레네를 더 사랑한다고!

라이샌더 - 그렇다면, 너의 사랑을 증명해 봐.

디미트리어스 - 좋다. 증명해 보이겠다. 가자!

허미어 - (라이샌더를 붙든다.) 라이샌더 님, 도대체 어떻게 된 거예요?

라이샌더 – 비켜. 안 놓으면 뱀을 풀어서 던질 테다!

허미어 – 왜 이렇게 난폭해지셨어요? 왜 이렇게 변하셨나요? (라이샌더를 그대로 붙들고 있다.)

라이샌더 – 저리 비켜! 저리 가 버리라고!

허미어 – 농담이시죠?

헬레네 – 아무렴! 너도 농담이고.

라이샌더 – 자, 디미트리어스야. 대장부답게 약속을 지키자. 헬레네에 대한 내 사랑을 너와의 결투로 증명해 보이겠다.

허미어 – (헬레네에게) 요, 나쁜 사기꾼! 네가 간밤에 내가 사랑하는 애인의 심장을 몰래 도둑질해 갔구나?

헬레네 – 염치도 없는 것. 나를 그만큼 갖고 놀았으면 이제 그만해라. 엉터리 꼭두각시 같은 것이!

허미어 – 뭐, 꼭두각시라고? (헬레네에게 달려들려고 한다.)

헬레네 – 두 사람에게 부탁합니다. 저를 조롱해도 좋지만, 제발 이 애가 나를 때리지 않게 해 주세요. 저는 이 애를 당해 낼 수가 없어요. (허미어를 보고) 허미어, 그렇게 심하게 굴지 마. 난 너를 사랑하고 언제나 네 비밀을 지켜 주었어. 다만 난 디미트리어스를 사랑해서, 그이에게 너와 라이샌더 님이 도망간다는 이야기를 했을 뿐이야. 아! 모두들 가만히 나를 내버려 둬요.

허미어 – 그래 제발 아테네로 가 버려. 누가 너를 막을 줄 알고?

헬레네 – 하지만 여기에 나의 마음을 남겨 두고 가겠다.

허미어 – 라이샌더 님의 가슴속에다?

헬레네 – 아니, 디미트리어스 가슴속에.

라이샌더 – 가 버려, 허미어. 도토리 같은 것!

디미트리어스 – 헬레네는 너를 싫어해. 나를 사랑한다고. (칼을 빼고)

헬레네를 귀찮게 하면 가만두지 않을 테다.

라이샌더 - (칼을 뺀다) 자, 용기가 있거든 따라오너라. 우리 둘 중에 누가 헬레네를 사랑할 자격이 있는지 결투로 정하자. (숲 속으로 뛰어 간다.)

허미어 - 이 모든 소동은 너 때문이야! 거기 있어요. 라이샌더, 달아나지 말아요.

헬레네 - 난 당신들을 믿지 않아. 난 여기서 달아날 테야. (달아난다.)

오베론 - (앞으로 나온다.) 이게 모두 파크, 너 때문이야. 넌 고의로 이런 실수를 저질렀지?

파크 - 아닙니다. 아테네 옷을 입은 사내라고 임금님께서 말씀하시지 않았습니까? 저는 확실히 아테네 옷을 입은 청년의 눈에 꽃즙을 발랐을 뿐입니다. 그런데 이렇게 되었으니 재미있지 않습니까? 심심했는데 일이 재미있어지는군요.

오베론 - 저 청년들이 결투할 장소를 찾고 있는 것을 보았지? 너는 얼른 가서 밤의 장막을 둘러서, 시커먼 안개가 가득하게 만들어라. 그래야 두 적수가 길을 잃고 서로 만나지 못하고, 싸움도 못하지. 두 사람이 떨어져 있을 때, 라이샌더 눈 속에 이 약초를 넣어라. 이 약초는 굉장한 효험이 있단다. 대번에 눈의 착각은 씻겨지고 정상이 될 거야. 눈을 뜨면 이 어리석은 소동은 모두 꿈같이 여겨질 것이다. 그러면 두 쌍의 아름다운 연인들은 사이좋게 아테네로 돌아갈 거야. 그들 사이의 애정은 죽을 때까지 변하지 않을 거야. 그 일은 네가 다 맡아서 해라. 난 티테니어 여왕을 찾아서 인도 소년을 달라고 해야겠어. 이 일이 잘 되면 마술에 걸려 있는 여왕이 괴물에게서 벗어나게 해 주어야지. 그럼 모든 일이 해결되는 거지.

파크 – 알겠습니다. 저는 저 두 청년을 따라가겠습니다.
오베론 – 아무튼 서둘러라. 날이 밝기 전에 끝내라. (오베론 퇴장)

안개가 끼기 시작한다.

파크 – 요리조리 내 마음대로 그자들을 끌고다녀야지.

라이샌더가 어둠 속을 더듬거리며 온다.

라이샌더 – 어디 있느냐? 디미트리어스! 어서 말을 해 봐.
파크 – (디미트리어스 음성으로) 여기 있다. 자, 너는 어디 있느냐!
라이샌더 – 좋다. 곧 가마!
파크 – 따라오너라.

라이샌더는 목소리가 나는 쪽으로 간다. 디미트리어스가 역시 더듬거리며 들어온다.

디미트리어스 – 라이샌더, 말을 해 봐. 이 비겁한 도망자! 어디 있느냐?
파크 – (라이샌더의 음성으로) 비겁한 놈 같으니. 그래, 덤불을 상대로 싸울 테냐? 내게는 덤비지도 못하고? 너 같은 놈은 회초리면 충분하다. 칼을 쓰기에는 너무 아깝다.
디미트리어스 – 거기 있어라.
파크 – 내 목소리가 나는 쪽으로 따라오너라. (디미트리어스, 말소리 나는 쪽으로 따라간다.)

라이샌더 다시 돌아온다.

라이샌더 – 그 녀석, 도망을 치다니. 그 녀석을 따라오다 나는 이렇게 울퉁불퉁한 이상한 곳에 오게 되었어. 아무튼 여기서 조금 쉬자. (둑 위에 눕는다.) 자, 태양아, 빛을 내라. 그래야 내가 디미트리어스를 찾아내 복수해 줄 수 있을 테니. (잠이 든다.)

디미트리어스가 들어온다.

파크 – (라이샌더의 음성으로) 요 겁쟁이! 왜 따라오지 않느냐?
디미트리어스 – 그렇게 도망을 치다니. 용기가 있다면 거기 서라!
파크 – (멀리서) 이리 와 봐. 난 여기 있다.
디미트리어스 – 나를 놀리는군. 그 대가를 받게 해 주겠다! 날만 밝으면 너를 찾아서 한 칼에 베어 버리겠다. 아아, 이제는 고단해. 더 이상 말을 할 수가 없구나. 잠시 자야겠다. 날이 새면 만나자. (라이샌더와 다른 둑 위에 눕는다.)

헬레네가 빈터로 들어온다.

헬레네 – 오, 길고 지루한 밤이야. 어서 이 밤이여, 지나가라! 환한 낮이 되면 다시 아테네로 돌아가고 말거야. 그리고 보기 싫은 저 사람들을 피해야지. 그런데 잠이 와. 잠이라도 자면 내 슬픔을 잊을 수 있을 거야. (손으로 더듬으며 둑으로 가서 디미트리어스 곁에 누워 잔다.)

파크 등장.

파크 - 아직도 세 명인가. 한 명만 더 오면 짝이 맞는데. 아, 저기 오는구나.

허미어가 기운 없이 들어온다.

허미어 - 이렇게 고민을 해 본 적은 생전 처음이야. 이슬에 젖고 가시에 찢기고, 더 이상 걸을 수가 없어. 날이 밝을 때까지 이 곳에서 쉬었다 가야지. 만약에 결투라도 벌어지면, 그 때는 하느님께서 내가 사랑하는 라이샌더를 보호해 주시기를. (라이샌더 곁에 눕는다.)
파크 - 잘들 자라. 네 눈에 꽃즙을 바르겠다. (라이샌더의 눈에 꽃즙을 짜 넣는다.) 눈을 뜨면 이 여자를 보고, 다시 사랑하게 될 것이다. 하하. (파크 퇴장)

제4막

제1장

티테니어가 보컴과 함께 나온다. 당나귀 탈을 뒤집어 쓴 보컴의 머리가 꽃으로 장식되어 있다. 그 뒤에 오베론이 아무도 보이지 않게 나타난다.

티테니어 - 자, 이 꽃밭에 앉으세요. 당신 머리에 장미꽃을 꽂아 드릴 게요.

보컴 - 콩꽃은 어디 있어요?

콩꽃 - 여기 있습니다.

보컴 - 내 머리를 좀 긁어 다오. 그런데 거미집은 어디 있니?

거미집 - 예, 여기 있습니다.

보컴 - 그럼 겨자씨는?

겨자씨 - 여기 있습니다. 뭐 시키실 일이라도?

보컴 - 뭐 별것 아니다. 얼굴이 간지러워서 말야.

티테니어 -음악을 들려 드릴까요? 그리고 뭐 드시고 싶은 건 없나요?

보컴 - 여물이나 많이 주시오. 난 달짝지근한 건초를 좋아한다오. 그건 그렇고, 부탁이 있소. 내 곁에 아무도 얼씬하지 않도록 해 주시오. 잠이 오는군.

티테니어 - 제 팔에 안겨서 주무세요. 요정들아, 물러가거라. (요정들 퇴장) 오, 행복해라. (둘이 같이 잠든다.)

오베론이 다가온다. 그 뒤로 파크 등장.

오베론 - 오 파크, 이 꼴 좀 봐라. 사랑에 넋이 나간 티테니어가 가엾게 느껴지는구나. 이런 우스꽝스런 당나귀를 사랑하다니! 방금 전 숲 속에서 나는 티테니어를 만났단다. 티테니어는 이 바보를 위해 꽃을 꺾고 있었지. 난 그 모습을 보고 비난을 퍼부었고, 그러다 우리는 또 싸움을 했단다. 실컷 욕을 해 줬더니 여왕은 나에게 참으라고 애걸을 하더구나. 그래서 내가 인도 소년을 달라고 했지. 그랬더니 내 전각으로 아이를 보내왔더구나. 이젠 여왕이 제정신이 들도록 해야겠다. 내가 원하던 소년을 얻었으니까. 자, 파크야. 이 녀석 머리에서 당나귀 탈을 벗겨 줘라. 나중에 잠에서 깨면 다같이 아테네로 돌아갈 수 있을 거고, 오늘 밤 일은 꿈같이 생각될 거야. 우선 티테니어부터 마술에서 깨어나게 해 주어야겠다. 이전과 같은 눈이 되어라. (약즙을 티테니어의 눈에 바른다.) 자, 티테니어, 눈을 떠라!

테티니어 ― 오베론 임금님, 저는 이상한 꿈을 꿨어요. 당나귀를 사랑하는 꿈이었지요.

오베론 ― 저기 누워 있는 사람이 당신 애인이오?

티테니어 ― 아, 저런 얼굴을 내가 사랑했었다니?

오베론 ― 파크, 저 탈을 벗겨 줘라. 자, 티테니어, 우리 손을 맞잡고 대지를 흔들어 줍시다. (둘이서 춤춘다.) 이제 당신과 나는 화해했소. 내일 밤에 티시어스 공작 결혼식을 축복해 줍시다. 그리고 저 두 쌍의 사랑하는 사람들도, 티시어스 공작과 함께 즐거운 결혼식을 올리게 합시다. 자, 갑시다. (오베론, 파크, 티테니어 퇴장)

뿔나팔 소리, 티시어스, 히폴리터, 이지어스, 그 밖의 사람들이 사냥꾼 복장으로 등장.

티시어스 ― 누가 가서 산지기를 불러 오너라. 히폴리터에게 사냥개들 음악 소리를 들려줘야겠다. (시종들 절을 하고 나간다.) 히폴리터, 산봉우리에 가서 개들의 울음소리를 들읍시다.

히폴리터 ― 저도 예전에 크리트 섬에서 사냥개를 풀어 곰 사냥을 한 적이 있는데, 그렇게 용감하게 짖는 소리는 처음이었어요.

이지어스 ― 공작님, 지금 여기서 자고 있는 여자가 저의 딸아이입니다. 이 사람은 라이샌더, 이 사람은 디미트리어스입니다. 그리고 얘는 헬레네이지요. 그런데 어떻게 이 사람들이 같이 있게 되었을까요?

티시어스 – 아마 단오날을 맞으러 일찍 일어났나 보네. 이지어스, 오늘은 허미어가 신랑을 결정하는 날이지?

이지어스 – 예, 그렇습니다.

티시어스 – 자, 뿔나팔을 불어서 이 사람들을 깨워라. (뿔나팔 소리, 아우성 소리, 네 사람이 눈을 뜨고 일어선다.) 이제 일어났나?

라이샌더 – 공작님, 용서해 주십시오. (네 사람이 공작 앞에 무릎을 꿇는다.)

티시어스 – 너희 두 사람은 원수인데, 어떻게 화해를 했느냐? 서로 앙심을 품고 있는 사람들끼리 이렇게 나란히 잠을 자다니.

라이샌더 – 공작님, 지금이 꿈인지 생시인지 어리둥절해서 대답을 잘 못 하겠습니다. 그러나 정확히 말씀드리면, 저희는 아테네에서 달아나 벌이 미치지 않는 곳으로 도망가려고 했습니다.

이지어스 – 공작님, 더 이상 들어 볼 필요가 없습니다. 제발 라이샌더를 법에 따라 처벌해 주십시오. 이보게, 디미트리어스. 저들이 도망을 쳐서 나와 자네를 속일 생각이었다네. 자네는 아내를, 나는 딸을 잃어버릴 뻔했네.

디미트리어스 – 공작님, 사실은 헬레네가 이 두 사람이 도망칠 계획이라고 저에게 말해 주었습니다. 그래서 저는 화가 나서 이 곳으로 뒤쫓아 왔지요. 헬레네도 저를 따라왔고요. 그런데 무엇 때문인지는 몰라도, 저는 이제 허미어를 사랑하지 않게 되었습니다. 그 대신 지금은 헬레네를 사랑하고 있습니다. 앞으로 죽을 때까지 저는 헬레네만을 사랑할 것입니다.

티시어스 – 그것 참 잘 되었구나! 여보게, 이지어스. 이제 자네 청을 들어 줄 수가 없게 되었네. 이 두 쌍의 남녀는 나와 함께 결혼식을 올리게 하겠어. 벌써 아침이 다 지나갔구나. 자, 모두들 같이 아테네로 돌아가자! 신랑이 세 사람, 신부가 세 사람이군! 어서 아테네로 돌아가서 성대한 결혼식을 올리고 잔치를 베풀자고! 자, 갑시다. (티시어스, 히폴리터, 이지어스, 그 밖의 일행 퇴장)

보컴 — (눈을 뜨면서) 내가 등장할 차례가 되었지. 여보게 나를 불러주게나. 내 대사를 하겠어. (하품을 하면서 주변을 두리번거린다.) 피터 퀸스, 플루트, 스노트, 스타블링, 다들 달아나고 나만 남아서 자고 있었던 건가? 나는 굉장한 꿈을 꾸었다네. 참 이상한 꿈이었어. (일행을 찾으며 퇴장)

제2장 퀸스의 집

퀸스, 플루트, 스타블링 등장.

퀸스 — 보컴에게 사람을 보내 봤나?
스타블링 — 그 자는 당나귀로 변해 있었어.
플루트 — 아직도 안 돌아왔으니 연극은 틀렸어.
퀸스 — 아테네 시내를 다 찾아도 피라모스 역을 할 사람은 없어.

스너그 등장.

스너그 — 여보게들. 공작님이 신전에서 돌아오셨네. 또 두 쌍의 연인도 결혼식을 올렸다네. 이번 연극을 잘 하면 우리 모두 신세가 펼 걸세.

보컴 등장.

보텀 - 다들 어디 있었나? 한참을 찾았네.

퀸스 - 아, 자네가 돌아오다니 무척 기쁘다네. 그동안 무슨 일이 있었는지 얘기해 주게.

보텀 - 한 마디도 하지 않겠네. 다만 내가 하고 싶은 얘기는, 공작님이 식사를 마쳤다는 거야. 자, 빨리 옷을 입고 연극 준비를 하세. 마늘은 먹지 마. 대사를 하다가 냄새가 나면 곤란하니까. 가세! 가. (일동 퇴장)

제5막

제1장 티시어스 공작의 저택 안 홀

무대 위에는 커튼이 드리워져 있고 무대 뒤에는 복도로 통하는 출입구가 있다.

난로에는 불이 붙어 있고 등불과 횃불이 있다. 티시어스, 히폴리터 등장. 필로스트레이트, 그 밖의 귀족, 신하들 등장. 공작 내외 자리에 앉는다.

히폴리터 - 저 연인들의 얘기는 참 기묘해요.

티시어스 - 그러게 말이오. 도저히 믿어지지가 않아.

히폴리터 - 간밤의 이야기를 자세히 들어 보니, 모두들 마음이 변했던 걸 보면 환상 때문만은 아닌 것 같아요. 아무튼 기적 같은 이야기예요.

티시어스 - 아, 그 연인들이 오는구려.

라이샌더와 허미어, 디미트리어스와 헬레네 등장.

티시어스 - 축하하네. 앞으로 행복하게 잘 살기를 바라네.
라이샌더 - 그보다 공작님 내외분이 더 행복하게 사시기를 빌겠습니다.
티시어스 - 그런데 연극은 다 준비되었나? 플로스트레이트.
플로스트레이트 - 예, 준비되었습니다. 아테네의 직공들이 공작님의‥
결혼식을 축복하기 위해 연극을 준비했습니다.
티시어스 - 그럼 구경을 해 볼까? 자, 모두들 자리에 앉아서 연극을 봅시다.

아테네 직공들의 연극이 시작되고, 모두들 흥겹게 연극을 본다. 연극이 끝난다.

티시어스 - 자, 연인들! 신방으로 들어가게. 이제 요정들이 나타날 시간이야. 연기는 어색했지만 지루하지는 않았어. 자, 이제 자러 갑시다. 앞으로 두 주 동안은 매일 밤 이렇게 잔치를 열겠어.

티시어스가 히폴리터를 데리고 퇴장, 그 뒤를 따라 애인들도 서로 손을 잡고 퇴장, 다른 일동도 퇴장. 등불이 꺼지고 무대는 컴컴해지고 파크가 빗자루를 들고 퇴장.

파크 - 지금은 밤중, 우리 요정들의 세상이지. 자, 우리 모두 즐겁게 놀아 보자. 이 집은 신성한 집이니 생쥐들은 얼씬도 하지 말아라.

오베론과 티테니어와 요정들이 등장한다. 모두 초가 꽂힌 모자를 쓰고 있다. 난로 옆을 지나면서 초에 불을 붙이자 무대가 환해진다.

오베론 – 자, 요정들아. 다 같이 춤을 추자. 나와 함께 노래를 부르고 춤을 추자.
티테니어 – (오베론에게) 먼저 시작하세요. 그러면 저희가 따라하면서 오늘 결혼한 이 부부를 축복하기로 하지요.

오베론이 먼저 노래를 부르고 그 뒤에 요정들이 합창을 한다. 노래를 부르면서 손을 잡고 무대를 돈다.

자, 요정들아. 날이 샐 때까지
이 집을 돌아다니자.
우리 둘은 새색시 방에 가서
축복을 해 주자.
태어날 아이에게도
행운을 빌어 주자.
세 쌍의 신랑 신부,
백년해로 하시라.
태어날 아이들도
흠없이 태어나라.
요정들아, 모두 들로 나가서
예쁜 꽃잎을 따다가
이 댁 방에다 뿌리자.
그리고 축복하자.

영원히 행복하라고.
자, 뛰어가자.
지체하지 말고 어서 가자.

요정들 퇴장. 무대 다시 컴컴해지고 조용해진다.

파크 - 저희 요정들이 꾸민 일이 마음에 안 드시나요? 그렇다면 이렇게 생각해 주세요. 잠시 졸고 계시는 동안 꿈을 꾸신 거라고요. 이 꿈 같은 연극을 부디 꾸짖지 마십시오. 용서해 주신다면 앞으로 저희들 더욱 노력하겠습니다. 일동을 대표해서 이 정직한 파크가 약속을 드립니다. 그렇지 않으면, 저희 요정들을 거짓말쟁이라고 부르셔도 좋습니다. 그럼 안녕히 주무십시오. (파크 퇴장)

베니스의 상인

제1막

제1장 베니스의 부두

안토니오, 살라리노, 살라니오, 이야기를 하면서 등장.

안토니오 - 왜 이렇게 마음이 우울할까? 답답해 죽겠어. 그런데 대체 이 답답증은 어디서 온 것일까? 도무지 알 수가 없어. 어찌나 슬프고 답답한지 난 내 자신을 가누지 못할 지경이오.

살라리노 - 당신의 마음이 바다를 뒹굴고 있군. 당신의 상선들이 돛에 바람을 맞아 쏜살같이 나아가고 있잖습니까?

살라니오 - 하여튼 나 같은 사람이 그런 모험을 한다면, 마음은 바다 위에 떠 있을 거야. 무역에 조금이라도 지장이 될 일만 생겨도 우울해지겠지.

살라리노 - 나 같은 놈은 조그만 바람에도 학질이 걸릴 거야. 안토니오 씨, 당신은 무역풍이 걱정돼서 우울한 게 아니오?

안토니오 - 그게 아니오. 다행히도 내 투자는 배 한 척이나 한 장소에 맡겨 두는 것도 아니고, 전 재산이 금년 한 해의 운수에만 달려 있는 것도 아니고, 그러니 장사 때문에 우울한 것은 아니오.

바사니오, 로렌조, 그레시아노 등장.

살라니오 - 댁의 가장 친한 친구 바사니오가 오는구려. 그레시아노와 로렌조도 같이. 그럼 우리는 이만 실례.

살라리노 - 좀 더 같이 있으면서 당신의 마음을 위로해 주고 싶지만, 더 훌륭한 친구들이 왔으니 이만 실례하겠소.

안토니오 - 당신들도 내게는 좋은 친구들이오.

살라리노 - 다음에 시간을 내서 찾아뵙지요. (살라리노와 살라니오 인사를 하고 퇴장)

로렌조 - 바사니오 씨, 이제 안토니오 씨를 만나셨으니까 저희들 두 사람은 가 보겠습니다. 하지만 점심때 약속한 장소를 잊지 마세요.

바사니오 - 알겠네. 잊지 않겠네.

그레시아노 - 안토니오 씨, 안색이 좋지 않군요. 세상사를 너무 염려하시는 모양입니다.

로렌조 - 그럼 나중에 뵙겠습니다.

안토니오 - 잘들 가게. 그건 그렇고 얘기 좀 해 보게. 자네가 남몰래 찾아가 보겠다던 그 처녀 말이야. 오늘 내게 이야기해 준다고 말하지 않았나?

바사니오 - 자네도 알겠지만 난 재산을 거의 탕진했다네. 나는 자네에게 도움을 많이 받았어. 그러니 지금 난 자네 우정을 믿고 내 계획과 의도를 모두 털어놓겠네.

안토니오 - 어서 말을 해 보게나. 나는 자네를 위해서 최선을 다할 걸세. 내 힘으로 할 수 있는 일은 무엇이든 다 하겠네. 우린 오랜 친구가 아닌가?

바사니오 - 벨몬트에 굉장한 유산을 물려받은 여자가 있는데, 용모와 인품이 고결하다네. 포샤라는 이름을 가진 케이트의 딸이야. 얌전하다는 소문이 세상에 퍼져서, 유명한 구혼자들이 밀려들고 있다네. 그런데 안토니오, 나는 그 작자들과 경쟁할 능력이 없다네. 하지만 난 그녀에게 구혼만 하면 좋은 일이 있을 것 같아.

안토니오 – 그러나 내 전재산은 바다에 있다네. 수중에는 현금도 없고. 자, 그러니 돈을 구하러 가세. 베니스 시내에 내 신용을 담보로 할 사람을 찾아서 돈을 마련해 보겠네.

제2장 벨몬트, 포샤의 집 홀

무대 뒤쪽에 복도가 있고 그 밑에 우묵한 작은 방으로 통하는 입구가 있다. 이 작은 방은 커튼으로 가려져 있다.

포샤와 시녀 네리사 등장.

포샤 – 네리사, 난 이 세상이 싫어.

네리사 – 참 아가씨도, 많은 것을 가지신 분이 그런 말씀을?

포샤 – 마음에 드는 사람을 선택하지도 못하고, 싫은 사람을 거절하지도 못하는 내 신세……. 아버지는 어떻게 그런 유언을 하셨을까? 이건 너무 가혹하지 않니, 네리사?

네리사 – 주인님은 훌륭한 분이셨어요. 성인은 운명할 때 영특한 생각이 떠오른다고 하네요. 그러니까 주인님께서 금과 은과 납으로 된 세 궤 속에 제비를 넣으시고, 그 어른의 뜻을 뽑는 사람이야말로 아가씨와 결혼할 수 있도록 계획하셨으니, 아마도 진정으로 아가씨를 사랑하는 사람이 그 제비를 뽑을 수 있을 거예요. 그런데 마음에 드

시는 분이라도 있으신가요?

포샤 - 수고스럽겠지만 한 분 한 분 이름을 대 봐. 이름을 대면 내가 그 사람의 인품을 말할게. 내 말을 통해 내 마음을 짐작해 보렴.

네리사 - 나폴리 왕이요.

포샤 - 아, 그분은 망아지나 다름 없어.

네리사 - 팔레타인 백작은요?

포샤 - 그이는 상을 찌푸리는 거밖에 몰라. 재미있는 이야기를 들어도 웃지를 않아.

네리사 - 프랑스 귀족 르봉 씨는요?

포샤 - 말에 비유하면 나폴리 왕을 뺨칠 정도요, 찌푸리는 버릇으로는 팔레타인 백작보다 한술 더 뜨지.

네리사 - 그럼 영국의 포컨브리지 남작은요?

포샤 - 어디, 말이 통해야지. 그림 같은 미남이긴 하지만 말이 통해야지. 옷차림도 가관이더라.

네리사 - 색소니 공작의 조카는요?

포샤 - 술꾼에다가 성격이 너무 고약해. 만약 그 사람이 제비를 뽑는다면 그건 최악이야. 만약, 그렇게 되더라도 나는 그와 결혼하지 않을 거야.

네리사 - 그러면 아가씨는 주인님의 유언을 거절하는 것이 되잖아요?

포샤 - 그러니 그런 일은 없어야지. 난 무슨 짓을 하더라도, 그 술꾼하고는 결혼하지 않겠어.

네리사 - 염려하지 마세요, 아가씨. 그분들 누구와도 결혼하지 않을 거예요. 그분들은 다들 고국으로 돌아가신대요. 청혼으로 아가씨를 괴롭게 하지 않겠다고 했어요. 아가씨, 혹시 기억나세요? 주인님이 살아 계실 때 몽페라 후작과 같이 온 베니스 분이요? 문무를 겸비하신 분 말이에요.

포샤 – 바사니오 씨를 말하는구나.

네리사 – 네, 맞아요. 그분이야말로 아름다운 아내를 맞을 만한 자격이 있는 분이죠.

포샤 – 나도 그분을 잘 기억하고 있어. 네 말처럼 훌륭한 분이신 것 같더라.

하인 등장.

포샤 – 무슨 소식이냐?

하인 – 네 명의 손님이 아가씨를 뵙고 떠나시겠답니다. 그리고 새 손님인 모로코 왕의 사신이 도착했는데 왕께서 오늘 밤 이곳에 오신 답니다.

포샤 – 네리사, 먼저 들어가거라. 청혼자 네 분을 보내고 나니, 또 다른 분이 찾아오는구나. (퇴장)

제3장 베니스의 거리, 샤일록의 집 앞

바사니오와 샤일록 등장.

샤일록 – 음, 삼천 더컷이라…….

바사니오 – 예, 한 석 달만 빌려 주십시오. 아까도 말했지만 안토니오가 보증을 섭니다.

샤일록 – 삼천 더컷을 석 달 동안이라.

바사니오 - 가능한지를 말씀해 주십시오.

샤일록 - 안토니오는 재력이 많지만 안정적이지가 않소. 한 척은 트리폴리스로, 다른 한 척은 인도로 가고, 다른 배는 멕시코와 잉글랜드로 나갔다지. 하지만 배는 나무 판대기에 불과하고, 선원도 보통 사람에 불과하잖소. 거기다 비바람과 암초의 위험까지 있으니……

바사니오 - 염려하지 마십시오.

샤일록 - 좌우지간 안토니오를 만나서 이야기를 했으면 싶은데…….

바사니오 - 좋으시다면 저희들과 같이 식사를 하시죠.

샤일록 - 당신들의 집에서 거래도 하고, 산보도 하고, 이야기도 하고 싶지만 식사와 술은 못 하겠소. 누구요, 저기 오는 사람은?

안토니오 등장.

바사니오 - 안토니오군. (안토니오를 한쪽으로 데리고 간다.)

샤일록 - (방백) 저놈이 밉단 말야. 무이자로 돈을 빌려 줘서, 베니스의 대금업자들이 이자를 낮춰야 하지. 나한테 약점이 잡히면, 쌓인 원한을 다 갚을 테다!

바사니오 - 샤일록 씨!

샤일록 - 지금 수중에 돈이 얼마나 있나 생각해 보니 아무래도 삼천 더컷은 없소. 그러나 염려마시오. 알고 있는 부자가 있으니 구해 봅시다. 몇 달 동안 쓴다고 했지요? (안토니오에게 인사를 하며) 안토니오 씨, 안녕하시오? 지금 당신 이야기를 하고 있던 중이었소.

안토니오 - 샤일록 씨, 나는 이자 없이 금전거래를 했지만 이 친구가 급히 돈이 필요하다고 하니까 이번만은 내 원칙을 깨겠소.

샤일록 - 그럼 댁의 보증을 받읍시다. 삼천 더컷은 상당한 금액이군요. 이자가 얼마나 되는지 쳐 봐야지. 음, 안토니오 씨. 당신은 여러 차례 거래에서 나를 욕하셨죠. 이자를 높게 받는 것을 비난했지요. 나를 이단자니, 살인자니, 개니 하면서, 우리 유대 인의 옷에 침을 뱉었소. 그런데 이제 와서 내게 하는 말이, '샤일록, 돈 좀 꾸어 줄 수 없을까요?' 하하, 내가 돈이 어디 있나요? 나를 조롱하는 사람에 대한 보답으로 돈을 빌려 달라고요?

안토니오 - 친구끼리 누가 돈을 꿔 주고 이자를 받는단 말이오. 그러니 원수한테 돈을 꿨다고 생각하지요. 그렇게 해서 약속을 어기면 떳떳이 위약금을 청구하시지요.

샤일록 - 내 친절을 보여드리리다. 자, 차용증서에 도장을 찍어 주시오. 만약에 증서에 명시된 금액을 약속한 날짜에 갚지 못하면, 위약금으로 당신의 살을 꼭 일 파운드만 내 마음대로 베어 내기로 하면 어떻겠소?

안토니오 - 아, 좋소. 그럼 도장을 찍겠소. 그리고 유대 사람도 친절하더라고 세상에 광고하리다.

바사니오 - 여보게, 나 때문에 그런 증서에 도장을 찍으면 안 돼.

안토니오 - 걱정하지 마. 나는 약속을 지킬 거야. 약속한 날보다 한 달 전에 증서보다 아홉 배나 되는 돈이 들어올 거라고.

샤일록 - 위약금조로 당신의 살 일 파운드를 받아서 내가 무엇하겠소. 난 호의를 보이려고 이렇게 돈을 꾸어 주는 것이니, 싫다면 할 수 없지.

안토니오 - 자, 증서를 이리 주시오. 도장을 찍으리다.

샤일록 - 그럼 공증인 집에서 만납시다. 난 가서 돈을 구해 오겠소. 그럼 이만.

안토니오 - 얼른 다녀오시오. (샤일록 퇴장) 요 유대놈이 왜 이렇게 친절해졌지? 자, 가세. 이보게 친구, 걱정할 건 없어. 내 상선들은 기한보다 한 달 빨리 돌아올 거야. (퇴장)

제2막

제1장 벨몬트, 포샤의 집 홀

모로코 왕 일행이 등장. 포샤, 네리사, 시종들 등장.

모로코 왕 – 내 얼굴색을 싫어하지 마시오. 이건 태양이 준 검은 옷이라오. 나의 여왕이여, 내 얼굴은 장사도 겁을 내고 있소. 거기다 우리 나라의 아름다운 처녀들도 반했다고. 자, 내 사랑을 받아 주시오.
포샤 – 선택권은 나에게 없어요. 제비로 운명이 결정되니까요.
모로코 왕 – 자, 나를 그 궤 있는 곳으로 안내해 주시오.
포샤 – 모든 것을 운명에 맡기실 수밖에 없어요. 제비 뽑는 것을 그만두시는 게 좋을 수도 있어요. 잘못 고르면 영영 다른 여자에게 구혼을 하지 않겠다고 맹세를 하셔야 하기 때문입니다. 그러니 잘 생각해 보세요.
모로코 왕 – 자, 결정을 하게 안내해 주시오. 행복한 사람이 되거나, 저주받은 인간이 되는 순간이 왔구나! (일동 퇴장)

제2장 샤일록의 집

론슬롯이 머리를 긁으며 등장.

론슬롯 - 이 유대 인의 집에서 도망가자. 그래야 내 마음도 편해질 테니. 마귀란 놈은 이렇게 유혹을 하지. '착한 론슬롯, 어서 달아나!' 라고. 하지만 양심은 이렇게 말해. '안 된다. 잘 생각해 봐라. 넌 정직한 론슬롯이야.' 양심의 말을 듣자니 악마 같은 유대 인 주인집에 주저 앉아야 하고, 이 유대 인 주인집을 달아나자니 마귀의 말을 들어야 하고. 하지만 유대 인 주인이야말로 악마의 화신이야. 그냥, 달아나겠어.

론슬롯, 달아나다가 비틀거리며 그의 아버지인 고보의 팔에 부딪힌다. 고보는 바구니를 들고 오는 중이다.

고보 - 여보 젊은이, 말 좀 물읍시다. 유대 인 양반집은 어디로 가면 되오?
론슬롯 - (방백) 아니, 아버지시네. 아버진 소경이라 나를 못 알아 보시지. 아버지에게 장난을 좀 쳐야겠다.
고보 - 이보시게. 유대 인 양반집은 어디로 가오?
론슬롯 - 요다음 모퉁이에서 오른쪽으로 도시오. 그리고 다음 모퉁이에서 다시 왼쪽으로, 그리고 그 다음 모퉁이에서 아무쪽으로도 돌지 말고 꼬불꼬불 내려가면 된다오.
고보 - 아니, 그렇게 어렵다니. 그런데 혹시 그 댁에 살고 있는 론슬롯이 지금도 살고 있는지 아시오?
론슬롯 - (방백) 가만 있자, 아직도 아버지는 나를 못 알아 보시네. 조금만 더 장난을 쳐야지. 젊은 론슬롯말인가요? 운명인지 모르겠지만 얼마 전에 죽었답니다.
고보 - 맙소사. 그 애가 죽다니. 에고 에고, 내 아들 론슬롯!

론슬롯 – 아버지 저를 몰라 보시겠습니까? 제가 바로 론슬롯입니다.

고보 – 내가 슬퍼한다고 장난치지 마시오. 농담하지 마시오.

론슬롯 – 아버지 제가 진짜 론슬롯입니다. 제 어머니는 마제리입니다.

고보 – 내 아내 이름이 마제리가 맞지만, 당신은 론슬롯이 아니오.

론슬롯 – 제 얼굴을 만져 보십시오.

고보 – (얼굴을 만져본다.) 아이고! 하느님, 고맙습니다. 내 아들 론슬롯이 맞구나. 그런데 너와 주인 사이는 어떠냐? 네 주인께 주려고 선물을 가지고 왔다.

론슬롯 – 주인은 지독한 유대놈입니다. 그놈한테 선물을 주시게요? 차라리 목매달아 죽으라고 줄이나 갖다 주세요. 그놈 집에서 고생살이를 하고 있자니, 배가 고파 미치겠습니다. 아버지가 가지고 오신 선물은 차라리 바사니오 나리께 드리세요. 저는 그 분 집에 가서 살겠습니다. 아이고 잘됐습니다. 저기 마침, 그 분이 오십니다.

바사니오가 레오나르도, 그 밖의 사람들과 등장.

바사니오 – (하인에게) 늦어도 다섯 시까지 식사 준비가 되도록 서둘러라. 그리고 이 편지는 배달하고, 새옷도 맞춰 입어라. 그리고 그레시아노에게 우리 집에 오시라고 전해라. (하인퇴장)

론슬롯 – 아버지, 바로 저 분입니다.

고보 – 안녕하십니까? 나리.

바사니오 – 무슨 할 이야기라도?

고보 – 이놈이 제 자식인데 변변치 못한 놈입니다만……. 이 애가 글쎄 나리님 댁에서 살고 싶어합니다.

론슬롯 – 사실 저는 유대 인 집에서 살고 있는데, 그 유대 인 양반이 저를 못살게 합니다. 아버지, 말씀 좀 해 주세요.

고보 – 제가 이 아이 아비입니다. 나리께 드리려고 비둘기 고기를 한 접시 가지고 왔습니다. 청이 있습니다. 우리 아들을 나리 댁에서 살게 해 주십시오.

바사니오 – 자네를 잘 알고 있지. 청대로 하겠네. 마침 자네 주인 샤일록이 오늘 자네를 추천하더군. 그래, 돈 있는 유대 인 집을 나와 가난한 나를 따르겠나?

론슬롯 – 암요. 따르고말고요.

바사니오 – 그럼, 어서 이전 주인집에 가서 인사를 하고, 내 집을 찾아오게. (하인들에게) 여봐라. 이자들에게 옷을 입혀라.

론슬롯 – 아버지 들어갑시다. (손바닥을 들여다보며) 저는 손금이 아주 좋습니다. 이탈리아 전체를 뒤져 봐도 저만한 손금은 없습니다. 이제 전 복만 들어옵니다. 아, 이럴 때가 아니지. 아버지, 얼른 가서 유대 인 주인에게 인사를 하고 옵시다. (론슬롯과 고보 퇴장)

바사니오 – 여보게 레오나르도. 부디 이 물건들을 잊지 말고 사 가지고 빨리 돌아오게. 오늘 밤 귀한 분들을 대접해야 하니까.

레오나르도가 퇴장하다가 그레시아노를 만난다.

그레시아노 – 자네 주인은 어디 계신가?

레오나르도 – 저기 계십니다. (퇴장)

그레시아노 – 여보, 바사니오 씨,

바사니오 – 오, 그레시아노.

그레시아노 – 부탁이 있는데……

바사니오 - 뭔가? 들어주겠네.

그레시아노 - 나도 벨몬트에 따라가겠네.

바사니오 - 문제 없네. 하지만 자네의 급하고 수다스런 성미는 좀 고치게.

그레시아노 - 물론일세. 욕도 하지 않고 점잖게 말하고, 호주머니에는 늘 성경책을 넣고 다니겠네. 난, 로렌조를 찾아봐야겠네. 그럼 이따 저녁때 다시 만나세. (퇴장)

제3장 샤일록의 집

제시카와 론슬롯 등장.

제시카 - 네가 우리 집을 떠난다니 슬프구나. 우리 집은 지옥같았는데, 유머있는 네가 있어서 그래도 지루한 줄 몰랐어. 그럼 잘 가거라. 이 돈 일 더컷을 받아. 오늘 저녁에 로렌조 님을 뵐 때 이 편지를 몰래 전해 주렴. 그리고 빨리 나가거라. 너와 내가 이야기하고 있는 것을 보면 아버지가 야단하실 테니.

론슬롯 - 안녕히 계십시오. 자꾸 눈물이 나옵니다. 아가씨, 안녕히. (퇴장)

제시카 - 잘 가거라, 론슬롯. 나 좀 봐, 아버지의 딸인 것을 부끄러워하다니. 로렌조 씨, 당신만 약속을 지켜 주시면 저는 이 고민을 끝내고 그리스도 인이 되어 당신의 아내가 되고 싶습니다. (퇴장)

제4장 베니스의 거리

그레시아노, 로렌조, 살라리노, 살라니오 이야기하면서 등장.

로렌조 – 우린 식사를 할 때 살며시 빠져 나와서, 집에 가서 변장을 하고 다시 돌아오세. 한 시간이면 넉넉하겠지.

그레시아노 – 그런데 준비가 좀 부족하지 않나?

살라리노 – 횃불잡이 이야기도 아직 안 했고.

살라니오 – 감쪽같지 않으면 아예 하지 않는 게 좋아. (론슬롯 등장) 아니, 론슬롯. 무슨 소식이라도?

론슬롯 – (편지를 꺼내면서) 이 편지를 보십시오. 자세한 얘기가 적혀 있을 겁니다.

로렌조 – 아름다운 글씨다! 나는 이 글씨의 주인공을 알고 있어. 글씨보다 더 아름다운 손을 가졌지.

그레시아노 – 연애 편지로군.

론슬롯 – 저는 이만 물러가겠습니다.

로렌조 – 어디로 가는가?

론슬롯 – 새 주인 그리스도교 신자 집에 와서 저녁을 드시라고 주인집 양반을 모시러 가요.

로렌조 – 가만, 이것을 받게. (돈을 준다.) 제시카에게 가서 이 말을 전해 줘. 틀림없이 찾아간다고.

론슬롯 – 예.

로렌조 – 이보게들. 오늘 밤 가장 행렬을 할 때 필요한 횃불잡이 하나를 구했네.

살라리노 – 그럼 어서 준비해야지.

로렌조 – 그럼 조금 있다가 그레시아노 집으로 와서, 나와 그레시아노를 찾아 주게.

살라니오 – 좋아, 그렇게 하지. (살라리노와 살라니오 퇴장)

그레시아노 – 그 편지는 제시카한테 온 게 아닌가?

로렌조 – 제시카가 이렇게 전해 왔네. 남자 옷을 입고 돈을 챙겨서 준비하고 있을 테니까 자기와 함께 달아나자고. 자, 같이 가 보세. 아름다운 제시카를 횃불잡이로 하세. (퇴장)

제5장 샤일록의 집 앞 거리

샤일록과 론슬롯 등장.

샤일록 – 제시카! 제시카!

론슬롯 – (큰 소리로) 제시카!

샤일록 – 누가 너더러 내 딸 이름을 부르라고 했냐?

론슬롯 - 하지만 영감님은 늘 저보고 시키지 않으면, 아무일도 안 하는 놈이라고 야단치셨잖아요.

제시카 등장.

제시카 - 부르셨어요, 아버지?

샤일록 - 난 오늘 저녁 초대를 받았단다. 집 좀 잘 봐라. 정말 가기 싫은데 말야.

론슬롯 - 꼭 가셔야 해요. 저의 새 주인님이 영감님을 기다리십니다. 가장행렬도 하는걸요?

샤일록 - 뭐, 가장 행렬이 있어? 얘야, 문단속 잘 해라. 북소리가 나고 흉악한 피리 소리가 나도, 창문으로 머리를 내밀지 말아라. 그리스도교 바보들이 광대짓을 한다. 정말 오늘 저녁식사 초대에는 가고 싶지 않구나. 먼저 가서 내가 곧 간다고 전해라, 론슬롯.

론슬롯 - 예, 알겠습니다. (퇴장)

샤일록 - 저 거지 같은 놈. 저 녀석은 먹성이 좋아서 식량만 축내는 놈이야. 그래서 빚쟁이 놈한테 보내는 거야. 제시카야, 이제 들어가 봐라. 난 금방 돌아오마, 문단속 잘 해라.

제시카 - 안녕히 다녀오세요. 아아, 난 이제 아버지를 영영 잃게 되는 구나! (퇴장)

제6장 같은 장소

그레시아노와 살라리노, 변장을 하고 등장.

그레시아노 - 우리보고 여기서 기다리라고 했지. 그런데 왜 안 오는 거야?

살라리노 - 약속 시간이 지났는데.

그레시아노 - 그자가 약속에 늦다니 참 이상한 일이야.

로렌조 등장.

살라리노 - 마침 오는군.

로렌조 - 여보게, 늦어서 미안하네. 그러나 나중에 자네들이 색시 도둑질을 할 처지에 놓이면, 나 역시 오늘 자네들처럼 기다려 주겠네. 이리들 나오게. 이게 내 장인 유대 인 집이네. 여, 안에 누구 있소?

문 뒤 창문이 열리고, 소년 복장을 한 제시카가 내다본다.

제시카 - 누구세요?

로렌조 - 로렌조입니다. 당신의 애인.

제시카 - 아, 우리 애인. 제가 이토록 사랑하는 분은 당신밖에 없어요. 자, 이 궤짝 좀 받으세요. (던진다.) 마침 밤이라 다행이에요. 이렇게 변장한 모습을 보이지 않아도 되니까요. 저는 남장을 했답니다.

로렌조 - 어서 내려와요. 오늘 가장 행렬에 당신을 횃불잡이로 써야겠으니.

제시카 - 말도 안 돼요. 이런 창피한 꼴이 더 잘 보이게 횃불을 들어요? 안 그래도 남의 눈을 피해야 하는데.

로렌조 - 제시카, 그렇게 아름다운 남자로 변장하고 있으니 당연히 횃불잡이는 당신의 몫이오. 자 어서 내려와요. 바사니오가 잔치에서 우리를 기다리고 있소.

제시카 – 돈을 좀 가지고 금방 내려갈게요. (문을 닫는다.)

그레시아노 – 참 좋은 여자야.

로렌조 – 정말이지, 난 저 여자를 사랑하네. 현명하고 예쁜 여자지. (제시카가 안에서 나온다.) 어, 벌써 왔소? 그럼 갑시다. (일행 퇴장)

안토니오가 거리로 오고 있다.

안토니오 – 누구요?

그레시아노 – 안토니오 씨요?

안토니오 – 아, 그레시아노 씨. 그래, 다들 어디 있나? 벌써 아홉 시네. 자네들을 기다리고 있다가 다 헤어졌다네. 오늘 밤 가장 행렬은 없고, 순풍이 불기 시작해서 바사니오는 곧 떠나기로 했다네. 내가 자네들을 찾느라 얼마나 애썼는지 아는가. (일동 퇴장)

제7장 밸몬트, 포샤의 집

포샤, 모로코 왕, 시종들 등장.

포샤 – 자, 막을 열고 궤를 전하께 보여 드려라. (하인들이 막을 열면 탁자가 보인다. 탁자 위에 세 개의 궤가 있다.) 그럼 골라 보세요. (모로코 왕이 궤를 각각 조사해 본다.)

모로코 왕 – 첫째 금궤에는, '나를 고르는 자는 만인이 소망하는 것을 얻는다'라고 써 있고, 둘째 은궤에는, '나를 고르는 자는 신분에 응당한 것을 얻으리라.' 라고 써 있군. 그리고 셋째 궤는 납으로 만든 궤로, 여기에는, '나를 고르는 자는 전 재산을 걸고 운명을 걸게 되리라'라고 써 있군.

포샤 — 이 중 어떤 궤 속에 제 초상이 들어 있어요. 그것을 고르면 전 전하의 아내가 됩니다.

모고코왕 — 신이여, 나를 도우소서! 납궤는 '나를 고르는 자는 전 재산을 걸고 운명을 걸게 되리라'라고 써 있지. 나는 납궤에는 아무것도 걸지 않겠다. 은궤는 '나를 고르는 자는 신분에 응당한 것을 얻으리라.'라고 써 있지. 하지만 이 모로코 왕은 신분에 응당한 것을 얻을 수 있지. 그런데 이 금궤는 어디 한 번 다시 보자. '나를 고르는 자는 만민이 소원하는 것을 얻으리라.' 음……. 이게 바로 아가씨다. 온 천하가 아가씨를 열망하니까. 자, 열쇠를 이리 주시오. 난 이 금궤를 고르겠소. 제발, 나에게 행운이 있기를!

포샤 — 열쇠는 여기 있어요. 그 궤속에 제 초상이 있다면, 나는 당신의 것입니다.

모로코 왕은 금궤를 연다.

모로코 왕 — 오, 이럴 수가! 더러운 해골바가지다. 뭐라고 써 있구나. 한번 읽어 보자.

　　빛나는 것이라고 해서 다 금은 아니다. 나의 외모에 홀려서 목숨을 판 사람도 많다. 잘 가오. 그대의 소문은 차디차오.

아아, 나는 헛탕을 쳤구나. 포샤 양, 안녕히 계십시오. 너무 가슴이 아파서 견딜 수가 없습니다. 작별을 길게 할수록 내 가슴이 아플 뿐입니다. (시종 거느리고 퇴장)

포샤 – 자, 이제 가자. (일동 퇴장)

제8장 베니스의 거리

살라리노와 살라니오 등장.

살라리노 – 여보게, 바사니오는 출항했다네. 그레시아노도 같이 떠났고, 하지만 로렌조는 그 배에 타지 않았어.

살라니오 – 그 망할 놈의 유대 인이 아우성을 쳐서 공작님까지 깨워놓았어. 그래서 공작님도 그놈과 함께 바시니오의 배를 찾으러 가셨다네.

살라리노 – 그러나 공작님께 마침 이런 보고가 들어왔어. 로렌조와 제시카가 그 배에 없다는 거야. 그 샤일록이 길 한가운데에서 성을 내고 악을 쓰며 펄펄 뛰는 모습을 봤어? 나는 그런 광경은 처음이야. '내 딸, 내 딸이 그리스도교 인과 달아났구나. 내 딸년이랑 금은 돈주머니를 찾아내라. 보석과 돈을 찾아내라.' 이렇게 소리를 지르더군.

살라리노 – 안토니오보고 약속 기일을 꼭 지키라고 하게. 안 지키면 큰코다치게 되네. 어저께 프랑스 사람을 만났는데 그 사람 말에 의하면 프랑스와 영국 사이에서 화물을 가득 실은 우리 나라 배가 난파를 당했다네. 그 말을 들으니 안토니오가 생각나더군. 제발 안토니오의 배가 아니기를……

살라니오 – 안토니오에게 말하는 게 좋지 않을까.

살라리노 – 세상에 그렇게 착한 사람이 어디 있나. 친구를 위해 그런 차용증서까지 써 주고. 두 사람이 작별할 때 나눈 그 진한 우정을 보니 눈물이 나오더군.

살라니오 - 우리 어서 가서 친구와 헤어진 안토니오 님을 위로해 주자고. (퇴장)

제9장 벨몬트, 포샤의 집 홀

하인 한 사람이 막 앞에 서 있다. 네리사 뛰면서 등장.

네리사 - 빨리 막을 열어요. 아라곤 왕이 궤를 고르러 올 거예요.(하인들이 막을 연다.)

포샤, 아라곤 왕, 시종들 등장.

포샤 - 저기 궤가 있어요. 저의 초상이 있는 궤를 고르면, 곧바로 결혼식을 거행할 거예요. 하지만 실패하면 아무 말씀 마시고, 즉시 떠나셔야 합니다.

아라곤 왕 - 나는 세 가지 조건을 지키겠다고 약속했소. 첫째는 내가 고른 궤를 아무에게도 말하지 말 것. 둘째, 내가 바른 궤를 고르지 못하면 앞으로 평생 동안 처녀에게 구혼을 하지 않을 것. 끝으로 선택에 실패하면 곧바로 이 곳을 떠날 것을 말이오. 아아, 나에게 행운이 있기를! (궤를 조사한다.) 금과 은과 납이라, 어떤 것을 고를 것인가? 나를 고르는 자는 신분에 응당한 것을 얻으리라. 이 말이 써진 은을 선택하겠어. 그럼 내 신분에 응당한 것을 받을 테니까. (은궤를 잡는다.) 자, 열쇠를 이리 주오. 지금 당장 내 운명을 확인해 보겠소. (궤를 열어 보고 깜짝 놀라 한 걸음 물러난다.) 아아, 이럴 수가! 바보가 눈을 껌벅이며 눈을 내밀고 있는 그림이 아닌가! 어디 읽어 보자.

일곱 번 불에 달군 은궤, 판단 또한 일곱 번 단련되어야 그 판단이 틀림없을 것을. 세상에는 그림자에 입을 맞추고, 그림자 같은 행복만을 얻는 자도 있다. 너도 그중 하나이다. 속히 떠나라.

포샤 – 안됐습니다.
아라곤 왕 – 자, 그럼 나는 떠납니다. 안녕히 계시오. 맹세는 이렇게 지키겠소. (시종을 데리고 퇴장)
포샤 – 네리사야, 막을 쳐라. (막을 친다.)

하인 등장.

하인 – 주인 아가씨, 어디 계십니까?
포샤 – 무슨 일이니?
하인 – 베니스에서 오신 젊은 분이 말에서 내렸습니다. 그분은 값진 선물을 가득 가지고 왔습니다. 아주 멋지게 생긴 분이십니다.
포샤 – 네리사야, 나가 보아라. 그런 분이라면 나도 얼른 어떤 분인지 보고 싶구나.
네리사 – 아, 신이시여. 제발 바사니오이기를! (일동 퇴장)

제3막

제1장 샤일록의 집 앞 거리

살라니오와 살라리노 등장.

살라니오 - 거래소에서 무슨 소식이라도?

살라리노 - 화물을 가득 실은 안토니오의 배가 파선당했다는 소문이 있네.

살라니오 - 제발 그분의 손실이 그것만이기를!

샤일록이 집에서 나온다.

살라니오 - 샤일록, 상인들 사이에 무슨 새소식이라도 있나요?

샤일록 - 내 딸이 달아난 것보다 큰 소문이 어디 있겠소?

살라니오 - 어미새를 떠나는 것은 새의 천성이 아닌가요?

샤일록 - 망할 것 같으니!

살라리노 - 그건 그렇고, 안토니오가 해상에서 무슨 손해를 입었다는 소문을 듣지는 않았소?

샤일록 - 아이고, 난 또 한 번 거래를 잘못했군. 이젠 거래소에 감히 얼굴도 못 내밀 것이 아닌가. 그 증서나 잊지 말라고 하시오. 그리스도교인의 친절이라며 돈을 그냥 꿔 주라고 했겠다? 흥! 그 증서나 기억하라고 하시오.

살라리노 - 그분이 약속을 어겨도, 그분의 살을 벌금으로 받지는 않겠지요? 대체 그 살로 무얼 하려고요?

샤일록 - 미끼지. 그자는 나를 모욕하고 오십만 더킷이나 이익을 보는 것을 방해했어. 우리 유대 인을 멸시하고 내 거래를 방해했어. 대체 무슨 이유 때문에? 내가 유대 인이기 때문이겠지.

하인이 등장하여 살라니오와 살라리노에게 말한다.

하인 – 두 분 양반, 주인 안토니오 님께서 돌아오셨는데 두 분을 뵙고 싶답니다.

살라리노 – 우리도 안토니오 님을 만나 뵙고 싶었다네.

튜발이 샤일록 집으로 오고 있다.

살라니오 – 유대 인 놈이 또 하나 오는군. 저 두 놈하고 한패가 될 만한 유대 인 놈은 이 세상 어디에도 없을 걸.(살라니오, 살라리노 퇴장)

샤일록 – 여보게, 튜발. 제노바에서 무슨 소식이라도? 그래 내 딸은 찾았는가?

튜발 – 소문이 난 곳마다 다 가 봤지만 어디 찾을 수가 있어야지.

샤일록 – 아니, 저런. 다이아몬드가 없어졌어. 프랭크퍼트에서 2천 더컷이나 주고 산 다이아몬드인데……. 그년이 죽어도 좋으니까, 그 보석은 무사했으면 좋겠어. 불행이란 불행은 모두 내 어깨 위에 내려와 앉고, 한숨이란 한숨은 모두 내가 쉬는 한숨이 되었구나!

튜발 – 아냐, 불행한 사람은 자네 외에도 또 있네. 제노바에서 들은 얘기인데 안토니오 배가 파선을 당했다네.

샤일록 – 거참, 고소한 소식이야. 고소한, 소식.

튜발 – 자네 딸이 제노바에서 하룻밤에 팔십 더컷을 썼다고 하네.

샤일록 – 오, 이런 팔십 더컷이나?

튜발 – 베니스에서 오는 길에 안토니오의 채권자 몇 명과 동행했는데, 이번에 그자는 파산을 하게 될 것 같다는군. 안토니오가 망하는 것만은 확실한 모양이야.

샤일록 – 튜발, 어서 가서 돈으로 공무원을 한 명 매수해 놓게. 그놈이 위약만 해 봐. 그놈의 염통을 도려낼 거야. 그놈만 없어지면 나는 어떤 장사라도 마음대로 할 수 있을 거야.

제2장 벨몬트, 포샤의 집 홀

궤 앞의 막은 열려 있다. 복도에는 악대가 대기하고 있다. 바사니오, 포샤, 그레시아노, 네리사, 그 밖의 시종과 하인 등장.

포샤 – 제발, 서두르지 마시고 하루, 이틀 계시다가 운명을 시험하세요. 잘못 고르시는 날에는 당신과 나는 작별하게 되니 말이에요. 그러니 잠깐만 참아 주세요. 사랑은 아니지만 어쩐지 당신과 헤어지기가 싫습니다. 그러니 궤를 잡기 전에 한두 달 이 곳에 머무르세요.
바사니오 – 어서 고르게 해 주세요. 지금 같아선 고문대에 걸려 있는 셈이니까요.
포샤 – 고문대라고요? 그렇다면 어서 자백하세요. 당신의 사랑 속에 어떤 거짓이 있는지.
바사니오 – 거짓이라뇨? 다만, 당신의 사랑을 놓치지나 않을까하는 의심밖에 없어요. 당신을 사랑합니다. 이 말밖에 저는 할 말이 없습니다. 자, 운명의 궤를 고르게 해 주세요.
포샤 – 그럼 가세요. 저기 어떤 궤 속에 제가 들어가 있어요. 진정으로 사랑하면 맞출 수 있을 거예요. 자, 어서 고르세요.

바사니오는 궤를 보고 혼자 궁리한다.

바사니오 – 그러니까 겉과 속이 다를 수도 있지. 세상은 늘 허식에 속고 있지. 악덕이라도 외관만은 그럴듯한 미덕의 표지를 가장하지 않는가. 미인을 보더라도 그렇지. 가장 두꺼운 화장을 하는 여자일수록 얼굴이 못생긴 여자지. 그러니 금과 은에게 속지 말자. 그러나 보잘것없는 납, 이것은 사람을 위협하고 있는 것 같지만 네 솔직함이 웅변보다 내 마음을 움직여 놓는구나. 자, 납을 선택하자. 제발 좋은 결과가 있기를! (하인, 열쇠를 내민다.)

포샤 - (방백) 아, 사랑아! 좀 진정하고 흥분하지 말아라. 기쁨의 비를 내려 다오.

바사니오 - (납궤를 연다.) 이건 뭐냐? 오, 포샤의 초상이구나. 아름다운 포샤의 얼굴이 이 납에 새겨져 있구나. 여기 종이가 있구나. 내 운명이 씌어진 종이가.

눈으로 고르지 않는 사람은 늘 올바른 선택을 한다. 이 행복이 네 것이 되었으니, 그만 만족하고 새것을 찾지 말아라. 이를 기뻐하고 행복을 천복으로 여긴다면, 저 여인한테로 가서 사랑의 키스를 하고 구혼을 하라.

아가씨, 그럼 이 글대로 하겠습니다. (한참 동안 멍하니 서 있는 포샤) 사실 나도 정신이 멍합니다. 이런 기쁨이 내게 오다니 말입니다.

포샤 - 바사니오 님, (바사니오에게 키스를 한다.) 제 자신이며 재산이며, 이제는 모두 당신 것이 되었어요. 이 집의 모든 것과 나는 이제 당신의 것이에요. 이 반지도 드릴게요. 만약 이 반지를 손에서 빼놓거나 잃어버리거나 남에게 주시거나 할 경우엔, 당신의 사랑이 사라진

증거로 알겠어요. 그 때는 저도 가만히 있지 않겠어요.

바사니오 – 포샤, 나로서는 이제 더 할 말이 없소. 나는 온통 혼란에 빠져 있소. 마치 왕이 된 것 같소. 그러나 이 반지가 내 손가락에서 사라지는 날은, 내 가슴에서 내 생명이 사라지는 것이라오.

네리사와 그레시아노가 다가온다.

네리사 – 축하합니다! 서방님, 그리고 아가씨.

그레시아노 – 바사니오 씨, 상냥한 아가씨, 두 분이 결혼식을 올리실 때 나도 같이 결혼을 하게 해 주시오.

바사니오 – 그러고 말고. 상대는 누구인가?

그레시아노 – 고맙습니다. (네리사의 손목을 잡고.) 바로 이 여인입니다. 바사니오, 당신이 포샤를 보고 있는 동안 난 이 포샤의 시녀를 보았습니다. 노형처럼 나도 성미가 급해서 당신의 운명이 결정될 때, 나의 운명도 같이 결정된다고 해서 이 여자에게 구애를 했습니다. 당신이 포샤의 초상이 그려진 궤를 잡았기에, 나도 이 아름다운 여인을 얻게 되었습니다.

포샤 – 네리사, 그게 정말이냐?

네리사 – 아가씨께서 허락만 해 주신다면, 이 분과 결혼하고 싶습니다.

바사니오 – 그레시아노도 진심인가?

그레시아노 – 당연하지요.

바사니오 – 그럼, 우리들의 결혼은 자네들의 결혼으로 더욱더 빛나게 되겠군.

로렌조, 제시카, 살라리노 등장.

그레시아노 – 아니 이게 누구야? 로렌조의 유대 인 딸이 아닌가? 아니, 그리고 베니스의 친구 살라리노가 아닌가?

바사니오 – 어서 오게, 환영하네. (포샤에게) 포샤, 내 고향 친구들이오.

포샤 – 어서 오세요. 참 잘 오셨어요. 환영합니다.

로렌조 – 고맙습니다.

살라리노 – 저희가 여기 온 것은, 안토니오 씨가 저 사람을 노형에게 부탁하라고 하셨기 때문입니다. (편지를 바사니오에게 준다.)

바사니오 – 편지를 뜯기 전에 안토니오 소식을 듣고 싶네.

살라리노 – 이 편지를 보시면 안토니오의 사정을 알게 되실 겁니다.

바사니오, 편지를 뜯어 읽는다.

포샤 – 저 편지는 무슨 불길한 내용인가보다. 얼굴빛이 저렇게 하얘지다니. 친한 친구가 죽기라도 한 것일까? (손으로 바사니오의 팔을 붙든다.) 여보세요, 저는 이제 당신의 반쪽이에요. 그러니, 그 편지 내용의 절반을 저도 알아야겠어요.

바사니오 – 사실은 당신을 아내로 맞기 위한 비용을 마련하느라 나는 빚을 얻었다오. 그런데 그 돈은 내 친구가 자기의 원수에게서 빌린 것이라오. 아, 그런데 살라리노? 안토니오의 배가 모두 파산했단 말이 사실이오?

살라리노 – 예, 그뿐이 아닙니다. 안토니오에게 지금 현금이 있더라도, 그 유대놈은 현금을 받지 않을 생각입니다. 그렇게 남을 망치려

하는 놈은 처음이었습니다. 아침저녁으로 재판을 안 해 주면 베니스의 법은 없는 거라고 공작님께 떠들고 있답니다.

제시카 – 저의 아버지가 튜발에게 이렇게 말하는 것을 들었어요. 아버지는 꾸어 준 돈의 이십 배를 가지고 와도 받지 않고, 기어이 안토니오의 살을 베겠다고요.

포샤 – 그 분이 당신의 친한 친구분인가요?

바사니오 – 제일 친한 친구라오. 마음씨가 인자하고 인품이 고결한 사람이지.

포샤 – 유대 인에게 진 빚은 얼마나 되죠?

바사니오 – 삼천 더컷. 그 친구는 나 때문에 어려움에 처하게 되었소.

포샤 – 겨우 그것뿐인가요? 그럼 두 배를 지불하고 증서를 말소시키지요. 그것도 아니라면 세 배를 지불하세요. 일단 무엇보다, 우선 교회로 가서 저를 아내로 맞아 주세요. 그리고 친구분을 찾아 베니스로 떠나세요. 이십 배를 더 달라고 해도 갚을 돈이 저에게 있어요. 빚을 다 청산하시면, 그 친구분을 모시고 오세요. 자, 같이 교회로 가서 결혼식을 간략하게라도 해요. (일동 급하게 퇴장)

제3장 샤일록의 집 앞

샤일록, 살라니오, 안토니오, 간수 등장.

샤일록 – 여보 간수, 이놈을 조심하시오. 이놈은 이자 없이 돈을 빌려 주는 바보 같은 놈이오.

안토니오 – 샤일록 씨, 그러지 말고 내 말을 좀 들어 봐요.

샤일록 - 다 필요 없소. 나는 증서대로 할 테요. 공작님에게 재판을 해 달라고 해야지. 난 증서대로 할 테니 입 닥쳐요. 따라오지 마시오. 나는 당신과 더 이상 이야기하고 싶지 않소. (안으로 문을 닫고 들어가 버린다.)

살라니오 - 이 개만도 못한 놈!

안토니오 - 내버려 두게. 아무리 애원해도 소용이 없으니까. 그자한테 돈을 꾸어서 어려움을 겪은 사람들을, 내가 여러 번 도와준 일이 있었다네. 그래서 내게 원한이 많은 거라네.

살라니오 - 공작님께서 설마 이 말도 안 되는 증서대로 판결을 내리시진 않겠지요?

안토니오 - 공작님도 법을 어떻게 할 수는 없어. 법대로 안 하면 이 나라 외국인들이 가만히 있지 않을 거야. 자, 간수, 갑시다. 그저 내가 채무를 갚는 것을 바사니오가 와서 봐 주었으면 좋겠어. (일동 퇴장)

제4장 벨몬트, 포샤의 집

포샤, 네리사, 로렌조, 제시카, 포샤의 남자 하인 밸서자 등장.

로렌조 - 부인, 부인은 신성한 우정이 무엇인지 아시는 분이십니다.

포샤 - 저는 남편을 도운 것이 당연하다고 생각해요. 안토니오라는 분은 남편의 둘도 없는 친구니까, 그 분은 틀림없이 남편처럼 훌륭한 분이실 거예요. 제 생명 같은 남편과 둘도 없는 친구분을 구하는데, 그까짓 비용이 어디 문제가 되겠어요? 아이고, 제가 너무 제 자랑만 했군요. 그런데 로렌조 님, 남편이 돌아오실 때까지 저희 집을 돌봐 주세요. 저는 하느님께 약속했어요. 남편이 돌아올 때까지 네리사를 데리고 가서 조용히 기도와 묵상의 날을 보내기로요. 이 곳에서 한 40 킬로미터 떨어진 곳에 수도원이 있는데, 거기 가서 지낼까 해요. 이 부탁은 거절하지 마세요.

로렌조 – (절을 하고) 부인의 분부시라면 뭐든지 하겠습니다.

포샤 – 우리 집 하인들이 제 남편과 저 대신, 당신과 제시카를 주인 같이 섬길 거예요. 그럼, 안녕히.

로렌조와 제시카 – 부디 잘 다녀오세요.

포샤 – 고마워요. 당신들도 안녕히 계세요. 잘 있어요. (제시카와 로렌조 퇴장) 밸서자, 너는 이 편지를 가지고, 있는 힘을 다해 패듀어로 가거라. 내 사촌 오라버니인 벨라리오 박사에게 이 편지를 전해 드려라. 그리고 박사님께서 서류와 의복을 주시거든, 받아 가지고 곧 베니스로 건너가는 나루터로 오너라. 여러말 할 것 없이 어서 떠나거라. 난 한 발 앞서 가 있겠다.

밸서자 – 예, 아씨. 얼른 다녀오겠습니다. (밸서자 퇴장)

포샤 – 네리사야, 네겐 아직 얘기 안 했다만 묘안이 있다. 우리 함께 남편들을 만나러 가자. 저쪽이 눈치채지 못하게 남장을 하고서 말이야. 아무튼 빨리 떠나자. 자세한 계획은 마차 안에서 이야기해 줄게. 빨리 가자. (두 사람 퇴장)

제5장 포샤의 집 앞

길 양쪽 둑 위로 삼나무가 서 있다. 론슬롯과 제시카가 이야기를 하면서 들어온다.

론슬롯 – 아버지의 죄는 자식이 물려받습니다. 그러니까 아가씨는 위험합니다. 아가씨는 지옥에 가실 것이 틀림없습니다. 그런데 지옥을 피할 길이 있긴 있습니다.

제시카 – 어떻게?

론슬롯 – 아버지든 어머니든 유대 인이 아니면요.

제시카 – 난 두 분 모두 유대 인이야. 하지만 내 남편이 나를 구해 줄 거야. 그이는 나를 그리스도교 인으로 만들었으니.

론슬롯 – 그 분은 고약한 분이시군요. 예수쟁이들이 넘치는 세상에, 한 명 더 예수쟁이를 만들었으니 돼지고기 값만 오르겠네요.

로렌조가 안에서 나온다.

제시카 – 우리 집 양반에게 네가 한 말을 다 이야기할 테야. 여보, 이 놈이 나를 보고 유대 인의 딸이라며 천당은 못 갈 거라고 하네요. 거기다 유대 인을 그리스도교 인으로 만들어서, 돼지고기 값만 올려놓는 사람이라고 하네요.

로렌조 – 이놈아, 쓸데없는 말은 하지 말고 어서 가서 식사 준비나 해라.

론슬롯 – 알겠습니다. 시키는 대로 하지요. (퇴장)

로렌조 – 자, 제시카. 당신 의견은 어떻소? 바사니오 님의 부인을 어떻게 생각하시오?

제시카 – 그런 부인을 만난 건, 이 세상에서 천국을 발견한 것이나 마찬가지예요. 이 세상에 포샤 부인과 겨룰 만한 여자는 없을 거예요.

로렌조 – 정말, 좋은 사람이지. 자, 우선 들어가서 식사나 합시다. (두 사람 퇴장)

제4막

제1장 베니스의 법정

안토니오 (간수가 지키고 있다.), 바사니오, 그레시아노, 살라니오, 관리, 서기, 군중 등장, 흰 옷을 입은 공작과 붉은 옷을 입은 여섯 명의 고관이 들어와서 의자에 앉는다.

공작 – 안토니오는 왔는가?

안토니오 – 예, 여기 있습니다.

공작– 참 안 되었네.

안토니오 – 공작님께서 저자의 가혹한 수단을 완화시켜 보려고, 수고하신다는 이야기를 들었습니다. 그 사람이 워낙 완고해서 도저히 그 마수에서 벗어날 수가 없게 된 만큼, 이제는 상대방의 발악에 인내심을 가지고 대하고 있습니다.

공작 – 누가 가서 그 유대 인을 불러 오너라.

살라니오 – 아, 지금 들어오는군요.

공작 – 내 앞에 세워라. (샤일록, 공작 앞으로 와서 절한다.) 샤일록, 우리들은 자네 입에서 친절한 대답이 나오기를 기다리고 있네.

샤일록 – 내 생각은 이미 공작님께 말씀드렸습니다. 증서대로 해 주십시오. 법대로 하는 것을 거절하신다면, 이 도시의 자유는 위태로워지지 않겠습니까?

바사니오 – 이, 인정머리 없는 놈!

안토니오 – 이보게. 저런 유대 인하고 시비를 하느니, 차라리 늑대한테 왜 어린 양을 잡아먹고 어미 양을 울렸느냐고 따지는 것이 낫지. 바람에 흔들리는 나뭇가지를 보고, 흔들리지 말라고 소리치는 것이 낫지. 저 유대 인의 마음을 부드럽게 하려고 애쓰지 말게.

바사니오 - 자, 여기 네가 빌려 준 삼천 더컷 대신에 육천 더컷이 있다.

샤일록 - 그보다 더 많이 준다고 해도 받지 않겠다. 나는 증서대로만 하겠어.

공작 - 남을 그렇게 동정하지 않으면서, 너는 어떻게 신의 자비를 바라느냐?

샤일록 - 나는 무슨 판결이든 두렵지 않습니다. 자, 증서대로 해 주십시오. 그걸 거절하신다면 이 나라의 법률은 그저, 휴지와 같아지는 것입니다. 베니스의 법은 허수아비가 되는 것입니다. 나는 법대로 판결이 나길 원합니다.

공작 - 이 사건의 판결을 위해 나는 벨라리오 박사를 초청했다. 그가 잠시 후에 오실 것이다.

살라니오 - 공작님, 지금 막 패두어에서 박사의 편지를 가지고 도착한 사람이 있습니다.

공작 - 그 편지를 가지고 온 사람을 들어오라고 해라.

바사니오 - 안토니오, 기운을 내게. 차라리 내 살과 피와 뼈를 저 유대 인에게 주겠네. 자네가 나 때문에 피를 흘리는 것은 볼 수 없네.

샤일록이 칼을 빼서 갈기 위해 앉는다.

안토니오 - 나를 가만 놔 두게. 바사니오, 나보다 더 오래 살아서 무덤에 비문이나 써 주게, 친구!

네리사가 변호사의 서기 복장을 하고 등장.

공작 – 그대는 벨라리오 박사가 보냈는가?

네리사 – 네, 공작님. 벨라리오 박사께서 안부를 전하셨습니다. (편지를 내주고 공작은 편지를 뜯어서 읽는다.)

바사니오 – 칼은 왜 그렇게 가는 거야?

샤일록 – 저기 저 파산자의 살을 베려고 간다.

그레시아노 – 이 지독한 유대놈! 어떤 연장도, 아니 사형 집행인의 도끼도 너의 무서운 마음보다는 날카롭지 못할 거다.

샤일록 – 물론이다.

그레시아노 – 기가 막혀! 이놈을 보고 있으니 피타고라스가 한 말이 꼭 들어 맞는 것 같다. 짐승의 혼이 사람 몸 속에 들어온다고 한 그 말 말이야.

샤일록 – 그렇게 욕을 한다고 증서대로 안 할 줄 아냐? 괜히 소리 지르지 마라. 네놈의 허파만 아플 뿐이다. 난 재판을 법대로 하길 원할 뿐이야.

공작 – 이 편지를 보면 벨라리오 박사는, 박식한 청년 박사 하나를 이 법정에 추천했는데……. 그분은 어디에 있느냐?

네리사 – 이 근처에 와 계십니다. 들어오시라는 공작님의 분부만 기다리고 있습니다.

공작 – 자, 어서 가서 모셔 오너라. (시종들 몇 사람 나간다.) 자, 벨라리오 박사의 편지를 읽겠으니 잘 들어 보시오. (편지를 읽는다.) '공작님의 서한을 받았을 때 저는 앓아서 누워 있었습니다. 마침 로마의 청년 밸서자 씨가 문병차 저를 방문했습니다. 저는 유대 인과 상인 간의 소송을 박사에게 설명했습니다. 그리고 함께 많은 법전을 조사해 저의 의견을 젊은 박사에게 말했습니다. 박사는 저의 대리로, 그 곳을 방문할 것입니다. 박사는 아직 나이가 어리지만 명석한 사람입니다. 그러니 박사를 환대해 주시기 바랍니다.'

포샤가 법률 박사의 복장을 하고 손에 책 한 권을 들고 등장.

공작 - 당신이 대리 박사입니까? 악수합시다.

포샤 - 그렇습니다.

공작 - 자, 앉으시오. 이 법정에서 심의 중인 사건을 알고 계시지요?

포샤 - 자세한 이야기를 들었습니다. 그런데 누가 상인이고, 누가 유대 인입니까?

공작 - 이 사람이 유대 인 샤일록이고, 저 사람이 상인인 안토니오입니다.

포샤 - 샤일록, 당신이 요구하는 소송은 그 내용이 괴상하지만, 법에 어긋나는 것은 없소. 베니스의 법으로 당신의 소송 내용을 비난할 수는 없소. 그런데 안토니오, 당신이 죽느냐 사느냐는 저 사람 손에 달려 있는 것이지요?

안토니오 - 그렇습니다.

포샤 - 그런데 이 증서의 내용이 맞습니까?

안토니오 - 예, 맞습니다.

포샤 - 그렇다면 유대 인이 자비심을 보여 주어야겠소.

샤일록 - 어서 재판이나 해 주시오. 증서에 씌어진 대로 나는 벌금을 받을 것입니다.

포샤 - 상인은 채무를 이행할 능력이 없는가?

바사니오 - 지금 내가 대신 이행하려고 합니다. 두 배를, 아니 열 배라도 원하는 대로 주겠습니다. 아, 법관님, 이 악마 같은 놈의 요구를 막아 주십시오.

포샤 – 그럴 수는 없습니다. 이 베니스의 어떤 권력을 가진 사람도, 법을 좌우할 수는 없습니다.

샤일록 – 과연 명판관이십니다. 나이는 젊으신데 어쩜 그렇게 현명하십니까?

포샤 – 그럼, 어디 그 증서를 봅시다.

샤일록 – 여기 있습니다. 박사님, 어서 읽어 보십시오.

포샤 – 샤일록, 이 금액의 세 배를 지불하겠다는데도 안 받으시겠습니까?

샤일록 – 이 베니스 전부를 줘도 싫습니다. 법에 의해 판결을 내려 주십시오. 나의 영혼을 두고 맹세하지만, 내 마음을 돌리지는 못 합니다.

안토니오 – 법대로 해 주십시오. 저도 빠른 판결을 원합니다.

포샤 – 정, 그렇다면 판결을 내리시오. 당신은 저 사람의 칼을 받을 각오를 하십시오.

샤일록 – 과연 훌륭하십니다.

포샤 – 그러니 어서 당신의 가슴을 내놓으시오.

샤일록 – 예, 가슴입니다. 증서에 이렇게 씌어 있습니다. '심장에서 가장 가까운 곳에서.'

포샤 – 그러면 살을 달 저울은 준비되었소?

샤일록 – 예, 여기 있습니다. (외투에서 저울을 꺼낸다.)

포샤 – 자, 그럼 샤일록 씨, 당신의 비용으로 의사를 불러 오시오. 출혈이 심해서 죽으면 안 되니까. 상처를 치료하려면 의사가 있어야지요.

샤일록 – 증서에 그런 내용은 없습니다.

포샤 – 그런 내용은 없지만 그 정도의 자비는 베푸시는 게 도리가 아니오. 자, 상인. 당신은 할 말이 없소?

안토니오 – 없습니다. 여보게, 바사니오. 잘 있게. 자네 때문에 내가 이렇게 됐다고 해서 슬퍼하지는 말게. (안토니오와 바사니오 포옹을 한다.) 부인께 안부를 전해 주오. 그리고 나의 죽음을 전해 주게. 내가 얼마나 자네를 사랑했는지를 전해 주게. 자네가 나를 잃는 것을 슬퍼해 준다면, 나는 자네 때문에 부채를 갚는 것을 슬퍼하지 않겠네.

바사니오 – 나의 아내는 내게 생명과 같이 소중하다네. 그러나 그 생명도 아내도, 내게는 자네만큼 소중하지 않다네. 많은 것을 잃어도 좋으니 자네 생명을 구하고 싶네.

포샤 – 여보, 당신 부인이 그 말을 듣는다면 별로 유쾌하지 않을 것 같군요.

샤일록 – 어서 판결이나 해 주십시오. 이렇게 꾸물거리는 것은 시간 낭비일 뿐입니다.

포샤 – 저 상인의 살 일 파운드는 당신의 것이오. 그러니 당신은 저 사람의 가슴에서 살 일 파운드를 도려내시오. 국법이 이를 승인하오.

샤일록 – 과연 멋진 판관이시네요. 판결이 드디어 났어. 자, 각오해라. (칼을 빼들고 앞으로 나온다.)

포샤 – 좀 기다리시오. 할 말이 있소. 이 증서에는 한 방울의 피도 당신에게 준다는 말은 없소. 살 일 파운드라고만 적혀 있소. 그러니 증서대로 살만 베어 내시오. 베어 낼 때 그리스도 교인이 피를 한 방울이라도 흘리면, 당신의 토지와 재산은 모두 베니스 국법에 의해 몰수당할 것이오.

그레시아노 – 과연 공평하신 판관이시다!

샤일록 - 말도 안 돼!

포샤 - (법률 서적을 펴 보이며) 자, 당신 눈으로 이 조항을 보시오. 당신은 정의를 요구하니 엄격한 재판을 각오하시오.

그레시아노 - 과연 박식한 분!

샤일록 - 그럼, 아까 그 말대로 증서의 세 배를 지불해 주시오. 그리고 저 상인은 석방해 주시오.

바시니오 - 자, 돈은 여기 있다.

포샤 - 아니오. 유대 인에게는 오직 정의대로 해 주겠소. 가만 있으시오. 증서대로 하겠소. 그러니까 살을 벨 준비를 하오. 피는 한 방울도 흘려서는 안 되오. 살도 꼭 일 파운드라야 하오. 일 파운드보다 많거나 적으면 안 되오. 머릿카락 하나만큼 더하거나 적어도 안 되오. 저울이 기울면 당신은 사형이오. 또 전 재산은 몰수고.

그레시아노 - 과연 훌륭하신 분이시다. 이 유대놈아, 맛이 어떠냐?

포샤 - 유대 인은 뭘 그렇게 꾸물거리오? 어서 벌금을 가져가시오.

샤일록 - 원금만 받고 가겠습니다.

바시니오 - 자, 여기 있다.

포샤 - 저 사람은 공판장에서 그것을 거절하지 않았는가? 그러니 정의와 증서대로 하시오.

샤일록 - 원금만이라도 주시면 안 될까요?

포샤 - 위약금 이외는 절대로 안 되오. 그것도 당신 생명을 걸고.

샤일록 - 에잇!

포샤 - 또 한 가지 법을 적용하면……. (책을 읽는다.) 이 법에 의하면, 만약 외국인이 베니스의 시민에 대해 어떤 수단을 써서 그 생명을 위협한 사실이 인정되면, 그자의 재산의 반은 피해자의 것이 되고 다른 반은 국고에 몰수되오. 또한 범인의 생명은 공작의 처분대로 움직이오. (책을 덮는다.) 아시겠소? 원고는 지금 그와 같은 상태에 처해 있소. 왜냐하면 당신은 안토니오의 생명을 위험에 빠뜨렸으니 말이오. 그러니 당신은 공작님께 무릎을 꿇고 그분의 자비를 구해야 할 것이오.

공작 — 우리의 정신이 당신과 다르다는 것을 보여 주기 위해, 너의 생명은 살려 주겠다. 다만 재산의 반은 안토니오의 것이 되고, 다른 반은 국고에 몰수될 것이다. 그러나 네가 얼마나 반성하느냐에 따라 벌금은 감해질 수 있다.

포샤 — 예, 국고 수입 분에서는 그럴 수 있습니다. 하지만 안토니오의 것은 경우가 다릅니다.

샤일록 — 내 생명이고 뭐고 다 가져가시오. 감형도 필요 없소.

포샤 — 안토니오, 당신은 어느 정도의 자비를 원하는가?

그레시아노 — 그저 저 놈이 목을 매어 죽을 끈이나 주십시오.

안토니오 — 공작님, 그리고 이 곳에 계신 여러분, 재산의 반에 대한 벌금을 면제해 주셨으니 만족합니다. 그리고 나머지 반의 재산은 제가 관리하다가, 저 사람의 딸과 결혼한 신사에게 양도해 주고 싶습니다. 다른 두 가지 조건은, 저 사람이 즉시 그리스도교로 개종하는 것과, 자기 유산 모두를 딸과 사위 로렌조에게 양도한다는 증서를 써 주는 것입니다.

포샤 — 유대 인은 만족하오?

샤일록 — 만족합니다.

포샤 — (네리사에게) 서기, 자 양도증서를 작성하시오.

샤일록 — 소인은 그만 물러가게 해 주십시오. 기분이 상해서요. 증서는 나중에 서명하겠습니다.

공작 — 그렇게 하시오.

공작 – 자, 박사님. 제 집으로 가셔서 식사나 같이 하십시다.

포샤 – 죄송합니다. 오늘 밤 패듀어로 돌아가야 합니다.

공작 – 할 수 없군요. 안토니오, 당신은 이 분에게 답례를 하시오. 이 분의 신세를 졌으니.

바사니오 – 고맙습니다. 박사님 덕분에 저와 제 친구는 무사할 수 있었습니다. 그 은혜를 보답하기 위해 삼천 더컷을 드리겠습니다. 약소하지만 받아 주십시오.

안토니오 – 물론 앞으로는, 이 이상으로 성심을 다 해 은혜에 보답하겠습니다.

포샤 – 괜찮습니다. 나는 두 사람을 구한 것으로 만족합니다. 그러니 그것으로 충분합니다. (인사를 하고) 다시 뵙게 될 때 나를 몰라 보지 말아 주십시오. 그럼 이만 실례하겠습니다.

바사니오 – (뒤따라 가며) 보수라고 생각하지 마시고, 그저 저의 성의라고 생각하시고 받아 주십시오.

포샤 – 그렇다면 받겠습니다. (안토니오를 보고) 당신의 장갑을 주십시오. 기념으로 삼겠습니다.(바사니오를 보고) 그리고 당신에게는 기념으로 그 반지를 받겠습니다. 그 이상은 받지 않겠습니다. 거절하지 마십시오.

바사니오 – 저, 변변치 못한 반지입니다. 이런 것을 드리고 싶지는 않습니다.

포샤 – 다른 것은 안 받겠습니다. 나는 그 반지가 마음에 듭니다.

바사니오 – 사실 이 반지는 가격이 문제가 아니라 사연이 있습니다. 베니스에서 가장 비싼 반지를 드리겠습니다. 이 반지만은 안 됩니다.

포샤 – 당신은 말씀만으로 나에게 고맙다고 하시는군요.

바사니오 – 사실 이 반지는 아내가 준 것입니다. 손에 이 반지를 끼워 주면서 이런 맹세를 했습니다. 절대로 누구에게 주거나 잃어버리지 않겠다고요.

포샤 – 주기가 아까우면 누구나 그런 핑계를 대지요. 나에 대한 당신의 마음이 그 정도라니. 그럼 안녕히.

안토니오 – 바사니오. 그 반지를 드리게. 자네 부인도 이 말을 들으면 이해할 걸세.

바사니오 – 그럴까? 이봐, 그레시아노. 얼른 따라가서 이 반지를 드리게. 그리고 그분을 안토니오 집으로 모시고 오게. 자 빨리! (그레시아노, 황급히 퇴장) 자, 우리도 가 보세. 내일 아침 일찍 벨몬트로 떠나야 하니. (퇴장)

제2장 베니스 법정 앞 거리

포샤와 네리사, 법정에서 나온다.

포샤 – 자, 유대 인 집에 가서 이 증서를 주고 서명을 받아 와요. 우린 오늘 밤 여기를 떠나 남편보다 먼저 집에 도착해야 해. 로렌조가 이 증서를 보면 얼마나 기뻐할까.

그레시아노가 뛰어 나온다.

그레시아노 – 선생님, 잠깐만요. 실은 바사니오가 오랜 고민 끝에 이 반지를 보내면서 저녁에 함께 식사를 하시자고 합니다.

포샤 – 저녁 초대는 응할 수 없지만, 이 반지는 감사히 받는다고 전해주시오. 그리고 이 서기를 유대 인 집으로 안내해 주시오.

그레시아노 – 예, 알겠습니다.

네리사 - (포샤에게 방백) 저도 남편의 반지를 달라고 할 거예요. 죽을 때까지 가지고 있으라는 반지말예요.

포샤 - (네리사에게 방백) 그러렴. 남편들을 면목 없게 만들어 보자.

네리사 - (그레시아노에게) 자, 그럼 그 유대 인 집으로 안내해 주세요. (모두 퇴장.)

제5막

제1장 벨몬트, 포샤의 집 앞 길

여름 밤, 달이 떠 있다. 로렌조와 제시카가 나무 밑을 조용히 거닐고 있다.

로렌조 - 달이 참 밝기도 해라. 나는 이런 밤에 애인과 함께 돈 많은 아버지 집을 도망쳐서, 베니스를 버리고 멀고 먼 벨몬트까지 온 여자를 알아요.

제시카 - 이런 밤에 로렌조라는 젊은이는, 여자의 마음을 빼앗아 애인을 벨몬트까지 데리고 왔지요.

로렌조 - 앗, 누가 와요. 사람 발소리가 나요.

스테파노가 뛰어온다.

로렌조 - 누구요?

스테파노 - 당신들의 친구 스테파노입니다. 아씨께서 잠시 후 도착하실 겁니다.

로렌조 - 누구랑 오시는가?

스페파노 - 수도승 한 분과 시녀랑요. 그런데 주인 양반은 아직 안 오셨나요?

로렌조 - 아무 소식이 없다. 그런 그렇고, 제시카. 우린 안으로 들어가서 아씨를 맞을 준비를 합시다.

론슬롯이 멀리서 부르는 소리가 난다.

론슬롯 - 로렌조 양반, 어디 계십니까?

로렌조 - 여기 있네. 이 사람아.

론슬롯 - 주인 양반의 속달이 도착했습니다. 주인 양반이 아침까지 돌아오신답니다. (퇴장)

로렌조 - 제시카, 두 내외분이 곧 오시겠군. 우린 어서 들어가서 두 분을 맞을 준비를 합시다. 스테파노, 안에 들어가서 전해 주게. 아씨가 금방 돌아오니 곧 준비하라고. 그리고 음악을 준비하게. 아씨께서 음악 소리를 들으며 집으로 오시게 말야. 자, 음악을!

포샤와 네리사가 천천히 길을 걸어 올라 온다.

포샤 - 저기 저 불빛은 우리 집의 불빛이구나.

네리사 - 아씨, 지금 들리는 음악은 아씨 댁에서 나오는 음악이고요.

포샤 - 정말 아름다운 음악이구나!

로렌조 - 아, 저건 아씨의 목소리다.

포샤 - 로렌조는 내 목소리를 금방 알아듣는군.

로렌조 - 주인 어른과 친구분은 무사하십니까?

포샤 – 나와 네리사는 남편들이 무사하기를 기도했다네, 그래 돌아오셨나?

로렌조 – 아직 안 오셨습니다. 그러나 곧 도착한다는 연락이 왔습니다.

포샤 – 네리사, 안으로 들어가서 우리가 집을 비웠다는 것을 내색하지 말라고 일러라. (나팔 소리, 멀리 길에서 사람 소리가 난다.)

로렌조 – 주인 어른이 돌아오십니다. 나팔 소리가 납니다. 아씨, 염려 마세요. 내색하지 않겠습니다.

바사니오, 안토니오, 그레시아노, 하인들 등장.

포샤 – 무사히 잘 다녀오셨어요? (그레시아노와 네리사, 한쪽으로 가서 이야기한다.)

바사니오 – 고맙소. 내 친구를 환영해 주시오. 나의 가장 소중한 친구 안토니오라오.

포샤 – 말씀 많이 들었습니다. 제 남편을 위해 어려움을 겪으셨다는 것도 들었습니다.

안토니오 – 그 문제는 모두 해결되었습니다.

그레시아노 – (네리사에게) 그 반지는 재판장의 서기에게 주었어. 하늘에 대고 맹세해.

포샤 – 왜 벌써부터 싸움이야?

그레시아노 – 금반지 때문입니다. 제 아내가 나에게 선물한 반지를 제가 서기에게 주었더니 이렇게 난리를 칩니다.

네리사 – 그걸 받으실 때 당신은, 죽을 때까지 갖고 계시겠다고 맹세하셨잖아요. 재판관의 서기에게 주셨다고요? 그 재판관의 서기는 분명히 여자일 거야.

그레시아노 – 아니야, 어떤 청년이었어. 아직 앳되고 꼬마 같은 소년이야. 어찌나 조잘대고 떠드는지 안 줄 수가 없었어.

포샤 – 당신이 나빠요. 부인의 선물을 그렇게 내주다니. 나도 남편에게 반지를 주었어요. 여기 남편이 있지만 이 사람은 천하를 다 준다고 해도, 그 반지를 내놓거나 손가락에서 빼내 버리지 않을 거예요.

바사니오 – (방백) 아이고, 이걸 어째!

그레시아노 – 바사니오도 재판관이 졸라서 그 반지를 주었습니다. 사실 재판관은 반지를 받을 만했습니다. 그것 때문에 서기라는 소년까지 내 반지를 달라고 졸라댔습니다. 하긴, 기록을 하느라고 수고했으니……. 그런데 서기나 재판관이나 두 사람 모두, 반지밖에는 아무것도 받지 않겠다고 하잖아요. 그래서 결국…….

포샤 – 여보, 반지를 주셨다고요? 설마, 내가 드린 반지는 아니겠지요?

바사니오 – 미안하오, 그 반지오.

포샤 – (돌아서며) 하늘에 맹세하지만 그 반지를 다시 보기 전에는 당신과 같이 자지 않을 거예요.

네리사 – 나도 마찬가지예요.

바사니오 – 그 재판관이 반지 외에는 아무것도 받지 않겠다고 해서 할 수 없이 주었다오. 당신도 전후사정을 다 들어 보면, 내 행동을 이해할 거요.

포샤 – 그 반지가 어떤 의미가 있는지 알았더라면, 그 반지를 주지는 않았을 테지요. 의미 있는 귀중한 물건을 달라고 한 사람은 분명히 여자였을 거야.

바사니오 – 아니오. 그 사람은 여자가 아니라 법학 박사였소. 당신이

그 자리에 있었더라면, 당신이 먼저 내 반지를 빼서 주었을 것이오.

안토니오 – 이 싸움의 원인은 바로 나 때문이오.

포샤 – 아니에요. 당신은 잘 오셨어요.

바사니오 – 내가 잘못했소. 용서해 주시오. 이번만 용서해 주면, 나도 내 영혼을 걸고 다시는 그 맹세를 깨뜨리지 않을 거요.

안토니오 – 나는 바사니오의 행복을 위해 내 목숨을 저당잡혔습니다. 그런데 부인의 남편인 저 사람의 반지를 가져간 사람이 아니었다면, 나는 죽었을 것입니다. 그러니 한 번만 주인어른을 이해해 주십시오.

포샤 – 그렇다면 당신이 보증을 서세요. (자기 손가락에서 반지를 빼서) 이걸 남편에게 전해 주세요. 전보다 더 잘 간수하라고요.

안토니오 – 바사니오. 이 반지를 잘 간수하겠다고 맹세해.

바사니오 – (놀라며) 아니, 이 반지는 내가 박사에게 준 그 반지야.

포샤 – 박사한테 얻었어요. 전 그 박사하고 잤단 말이에요.

네리사 – (반지를 보여 주며) 저도 그랬어요. 그 서기를 하는 남자랑 잤어요. 이 반지를 얻은 답례로.

그레시아노 – 말도 안 돼. 나도 모르게 그런 짓을 해? 이 나쁜 여자!

포샤 – 그렇게 욕하지 마세요. 다들 놀라셨지요? 이 편지를 읽어 보세요. 벨라리오 님에게 온 편지예요. 편지를 보시면 이 포샤가 박사이고, 네리사가 서기였다는 것을 아실 거예요. 자, 그리고 안토니오 당신에게도 좋은 소식이 있어요. 당신 상선이 세 척이나 상품을 가득 싣고 입항한답니다. 이 일을 어떻게 알았는지는 묻지 마세요.

안토니오 – 오, 이럴 수가!

바사니오 – 아니, 당신이 박사였는데 내가 몰라보다니!

그레시아노 – 당신이 바로 서기였다니!

안토니오 – 부인, 당신 덕분에 나는 생명과 재산을 도로 찾았습니다.

포샤 – 그런데 로렌조! 저 서기가 당신께도 좋은 소식을 가지고 왔습니다.

네리사 – 자 이것 받으세요. 당신과 제시카에게 부자 유대 인이 유산 전부를 사후에 양도한다는 증서예요.

로렌조 – 두 분 아씨께, 감사드립니다.

포샤 – 벌써 밤이 깊었어요. 이번 일의 과정을 다들 알고 싶으시죠? 안으로 들어가서 이야기해요. 뭐든지 솔직하게 말씀드리겠습니다.

그레시아노 – 그렇게 합시다. 그건 그렇고 앞으로 일생 동안 네리사의 반지를 잘 간수할 수 있을지, 이것이 제일 걱정이군. (일동 퇴장)

작품 알아보기
(희곡문학)

〈**로미오와 줄리엣**〉은 셰익스피어의 낭만적 비극으로는 최초의 작품인데, 이 작품으로 그는 일시에 명성을 떨쳐 유명한 극작가이자 배우로서 알려지게 되었다.

베로나의 몬테규 가와 캐퓰릿 가는 일찍부터 서로 원수지간이었다. 그런데 무도회에 간 로미오는 뜻밖에 원수의 딸 줄리엣을 보고는 첫눈에 반하여 사랑하게 된다. 두 사람은 로렌스 신부의 도움으로 비밀리에 결혼식을 올리지만, 양가 친족들 간에는 칼부림이 일어나서 로미오의 친구 머큐쇼와 줄리엣의 사촌 티볼트가 죽고, 로미오는 추방형을 받는다.

한편, 아버지의 명령으로 패리스 백작과 결혼하게 된 줄리엣은 로렌스 신부가 준 약을 먹고 잠시만 죽은 상태로 납골당에 안치된다. 이 소식을 들은 로미오는 줄리엣이 정말 죽은 줄 알고 줄리엣의 옆에서 독약을 마시고 죽는다. 잠시 후 깨어난 줄리엣은 모든 사실을 알고 단검으로 가슴을 찔러 자살한다.

이 작품은 1595년에 씌어진 것으로 추정되는데, 그 시기 셰익스피어의 작품에는 긍정적인 사고가 지배적이었다. 그래서 작품 곳곳에서 서정적인 배경과 낭만성을 많이 엿볼 수

작품 알아보기
(희곡문학)

있다.

〈**한여름 밤의 꿈**〉은 젊은 연인들이 어려움을 극복하고 행복한 결말에 이른다는 낭만적 성격의 이야기이다. 네 쌍의 연인들 간의 갈등을 통해, 진정한 사랑을 깨닫는 일의 어려움을 보여 준다. 또한 등장 인물에 의하여 극중에서 또 하나의 연극이 이루어지는 이중 구조의 형식을 취하고 있다.

〈**베니스의 상인**〉은 영리한 여인 포샤가 남편의 친구 안토니오를 유대 인 고리대금업자 샤일록의 흉계에서 구해 내는 이야기이다. 로맨틱한 줄거리를 가지고 있으며, 감미로운 장면이 풍부한 희극이지만, 당시 런던 시민이 가지고 있던 증오심과 반유대 감정을 보여 주고 있다.

논술 길잡이
(희곡문학)

❶ 아래 그림은 〈로미오와 줄리엣〉의 마지막 장면이다. 로미오
와 줄리엣이 죽게 된 이유를 쓰고, 두 사람의 죽음에 대해
어떻게 생각하는지 자신의 생각을 써 보자.

....
....
....
....
....

논술 길잡이
(희곡문학)

❷ 한국판 〈로미오와 줄리엣〉인 〈춘향전〉을 읽고, 두 이야기를
비교해서 아래 표의 빈 곳을 채워 보자.

	로미오와 줄리엣	춘 향 전
주인공의 성격		
주변 인물의 성격		
중심 사건		
이야기의 배경		
결 말		

논술 길잡이
(희곡문학)

❸ 다음은 〈베니스의 상인〉의 일부분이다. 포샤의 판결에 대해
어떻게 생각하는지를 적어 보고, 다른 해결 방법에는 어떤
것이 있을지 생각해 보고 쓰라.

포샤 – 좀 기다리시오. 할 말이 있소. 이 증서에는 한 방울의 피도
당신에게 준다는 말은 없소. 살 일 파운드라고만 적혀 있소. 그러니
증서대로 살만 베어 내시오. 베어 낼 때 그리스도 교인이 피를 한
방울이라도 흘리면, 당신의 토지와 재산은 모두 베니스 국법에 의해
몰수당할 것이오.

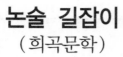

논술 길잡이
(희곡문학)

❹ 〈한여름 밤의 꿈〉을 읽고, 내가 만약 이 이야기에 나오는 신기한 꽃즙을 갖게 된다면 어디에 쓰고 싶은지 자유롭게 상상해서 써 보자.

_____

_____

_____

_____

❺ 셰익스피어의 다른 작품들을 더 찾아 읽어 보고, 셰익스피어가 오늘날까지 위대한 작가로 칭송받고 있는 이유에 대해 논술하라.

_____

_____

_____

_____

논·술·세·계·대·표·문·학 〈전60권〉

펴 낸 이	정재상
펴 낸 곳	훈민출판사
주 소	경기도 고양시 덕양구 원당동 416번지
대표전화	(031)962-3888
팩 스	(031)962-9998
출판등록	제395-2003-000042호